Narratori  Fel

Piersandro Pallavicini

Nel giardino delle scrittrici nude

© Giangiacomo Feltrinelli Editore Milano
Prima edizione ne "I Narratori" marzo 2019

Stampa Grafica Veneta S.p.A. di Trebaseleghe - PD

ISBN 978-88-07-03325-4

To the Rescue (The Divine Comedy/Neil Hannon)
Divine Comedy Productions LCC
I Will Survive (Freddie Perren/Dino Fekaris)
Polydor Records

www.feltrinellieditore.it
Libri in uscita, interviste, reading,
commenti e percorsi di lettura.
Aggiornamenti quotidiani

razzismobruttastoria.net

Nel giardino delle scrittrici nude

So many heartbreaks
So little time
Too many tragedies
Too many crimes
Put on your body armor
Prepare your alibis
'Cause there is no one else
Gonna put it right.

The Divine Comedy, *To the Rescue*

Le Cinque Vie

1.

Di selvaggina e pantere

Lascio via Torino per una delle straducce laterali che si diramano sulla sinistra, se la direzione che consideriamo è quella che dal Carrobbio porta al Duomo. È via Nerino. Al civico dieci c'è il ristorante dove pranzo nel giorno libero della Gianna, al sei l'autorimessa dove tengo la Jaguar, poi prendo a sinistra in via San Maurilio e da via Torino a qui è tutto un lastricato, tutta una strettoia, tutto un portone che si apre su giardinetti privati il cui perimetro e la cui flora ornamentale puoi solo sbirciare e immaginare, infine sbuco nel centro del quartiere, le Cinque Vie. È quasi mezzogiorno, è primavera inoltrata, c'è il sole, ma io, io che ho sessant'anni suonati, io che sono uscita nel fresco della mattina che sboccia con addosso un cardigan, il cappello, un dolcevita, adesso ho caldo e mi devo fermare per tirare il fiato. In mano mi pesa la borsa della Galleria Aliprandi, che sta non troppo lontano da qui, a un passo da piazza Vetra, dentro c'è un quadro di Galliani nel senso di Omar, il pittore emiliano, trenta centimetri per trenta, una bellissima grafite con dei ghiribizzi in pastello rosso però su tavola, dunque novecento centimetri quadrati che pesano chili. Facevo ritorno dalla passeggiatina igienica al parco, ho visto il quadro in vetrina, m'è piaciuto, costava dodicimila euro, li ho pagati con la Visa senza discutere sul prezzo. È tanto? È troppo? Ma voi discutereste sul prezzo, mettiamo, di una cartolina da un euro e venti per strapparla a uno e diciannove?

Meglio se il cardigan me lo levo e lo annodo in vita, dai, e via anche il cappello, anzi facciamoci aria con questo cappello inutile, visto che togliere pure la camicetta qui per strada non si può. Qui, dico, ai margini dell'incrocio a stella dove le cinque vie s'incontrano e lo sguardo può correre più in là, lungo via Bocchetto, dove la strada diventa d'asfalto e s'allarga verso le ristrutturazioni lussuose di piazza Edison. Il cuore dell'antica Milano delle arti e dei mestieri, a due passi dal ristorante Cracco, o così almeno le inserzioni delle agenzie immobiliari. A un passo dalla Pinacoteca Ambrosiana, dalla chiesa di San Sepolcro, da piazza Affari e dal dito medio di Cattelan, aggiungerei. Che io ora abiti qui continua a sembrarmi un miracolo.

Ma la mia vita è cambiata due anni fa, quando sono diventata ricca. Anzi sono diventata ricchissima, ricca sfondata, un Paperone. C'è anche il femminile? Si dice Paperona? Scherzo. Intendo sul nome cambiato di genere del miliardario di Walt Disney, non sulla ricchezza. Il miracolo della nuova casa fa parte di un miracolo più grande, ho ereditato da mio padre senza sospettare minimamente che ci fosse qualcosa da ereditare, da un conto corrente vuoto e un salario incerto sono passata a un patrimonio di un paio di miliardi e una rendita mensile di due milioni. Capite?

Per un annetto ho continuato ad abitare a Vigevano, ché all'inizio i soldi non riuscivo neanche a toccarli, non mi sembravano veri, finivano sul conto che si gonfiava raggiungendo cifre mai viste, insensate, cifre che mi toglievano il respiro. Ero convinta che qualcuno prima o poi si sarebbe accorto che c'era stato un errore, che quella ricchezza non mi spettava, dunque non spendevo nulla o quasi. Avevo comprato qualche abito da Benetton, delle scarpe nuove da Bata, mi ero concessa di andare in piazza a mangiare una pizza due volte alla settimana, avevo fatto l'abbonamento al teatro Cagnoni, ma ecco, tutto lì. Ero rimasta nel mio appartamento al secondo piano di un piccolo condominio abominevole in via Manara Negrone, costruito negli anni cinquanta, invecchiato male, la facciata gialla e sporca, i muri scrostati, i balconi ostruiti dalle antenne paraboliche, il giro scale col tanfo di fritto rancido della cucina degli altri inquilini, cinque famiglie di egiziani torvi che mi detestavano, che pregavano Allah perché me ne andassi, perché liberassi l'appartamento per un loro connazionale e parente in procinto di trasferirsi forse da Parma o da un impiego da barman, vai a capire. Così a non toccare i soldi in cinque mesi mi sono ritrovata con dieci milioni sul conto e il cuore che un po' alla volta si era fatto leggero, nessuno era venuto a pretendere nessuna restituzione, l'idea che quest'assurda eredità non fosse un errore madornale aveva cominciato a farsi largo. L'amministratore dell'eredità l'aveva nominato mio padre, è un commercialista, o meglio un commercialista in pensione data l'età ben oltre i settanta, in ogni caso ha un incarico che gli vale cinquecentomila euro l'anno solo per occuparsi dei miei fondi. Io potevo tenerlo o cambiarlo, l'ho tenuto, in parte perché non avevo la minima idea di chi potesse sostituirlo e in parte perché si chiama Quintavalle, Gualtiero, come uno dei miei scrittori misconosciuti preferiti, Quintavalle però Uberto Paolo, cui somiglia pure almeno a giudicare da come appariva, e dico lo scrittore, nel suo unico ruolo cinematografico, il magistrato con baffetti delle *120 giornate di Sodoma* di Pasolini. Quando, ossessivamente, una volta a settimana, venivo qui a Milano a consultarlo, il Quintavalle dottor Gualtiero mi faceva accomodare nello studio, mi versava un cognac non importava l'ora, se ne versava uno per sé, si lisciava i baffetti seduto dietro la vecchia scrivania di mogano e mi rassicurava.

"Sono soldi suoi, rendita consolidata, ne faccia quel che le pare, spenda, compri! Vestiti, gioielli, automobili. O ci faccia dei viaggi, si prenda una casa, oppure due case, tre."

Una casa, ecco, quella davvero la desideravo, una grande, bella, anzi magnifica casa fuori dal ghetto dove da anni mi ero ritrovata ad abitare.

"Anche tutti i dieci milioni insieme?" gli avevo chiesto finalmente, una volta. "Si può?"

Lui si era fatto una risatina. È un tipo simpatico il Quintavalle, un gentiluomo che indossa abiti su misura e beve cognac straordinari.

"Dieci milioni? Li consideri *argent de poche*."

E con l'*argent de poche* messo da parte in quei primi mesi, che in altro modo non saprei definire se non onirici, mi sono comprata un'intera casa nel quartiere in cui ho sempre sognato di vivere, questo, nella città che ho sempre amato, Milano. Vigevano è a trenta chilometri, quando eravamo ragazze e facevamo il liceo, il sabato pomeriggio venivamo qui, giravamo via Torino a comprare dischi d'importazione e scarpe punk, la sera guardavamo film d'essai al Centrale, poi, prima di tornare a Porta Genova per l'ultimo treno, facevamo una passeggiata per il quartiere, prendevamo un gelato al chiosco di piazza Mentana, spiavamo i giardini dai portoni, infine, come rituale conclusivo, passavamo per il crocicchio delle Cinque Vie, dove c'era una palazzina danneggiata dalle bombe ai tempi della Seconda guerra mondiale, affacciata su via del Bollo, con un lato sventrato, mai ricostruito, dove vedevi la mappa verticale degli appartamenti che furono, lato sventrato che oggi c'è ancora, dove noi in quel tempo controllavamo che fosse sempre al suo posto il misterioso vestito impigliato in uno squarcio all'altezza del terzo piano, vestito che oggi invece non c'è più. Milano per noi era la grande metropoli dei sogni, le Cinque Vie il suo quartiere più incantato e sì, fa spaventosamente patetico e provinciale, oggi, prendere una casa proprio qui, vero? E a me che me ne frega?

"La bella signora mi perdona la domanda?"

Balzo indietro di un metro, d'istinto stringo al petto il quadro di Galliani e la borsetta con il portafoglio e le chiavi.

"L'ho spaventata? Mi perdona anche questo?"

Fatico a riprendere il fiato, ma come non spaventarsi, di grazia? A parte che costui è apparso da dietro un'auto come in una specie di agguato, poi si è visto? Avrà qualche anno più di me e i capelli biondo paglia dunque per certo tinti, corti, spettinati, sparati da tutte le parti, il viso gonfio cereo ma con gli zigomi straordinariamente rubizzi. Che poi è gonfio pure tutto quanto il resto, non dico grasso, dico proprio rigonfio, straripa dentro una camicia damascata con due grandi dragoni arancioni in rilievo sul tessuto che dovrebbe essere bianco ma che sul colletto e i polsini bisunti vira invece al seppia antico, dentro i pantaloni purpurei di velluto a coste con l'orlo sfilacciato, nei sandali da frate, con i piedi che sembrano due cotechini sulla cui pulizia, mio dio, censura. È un barbone anzi un freak. Che sorride, fa un passo verso di me stringendo una busta gualcita tra le mani che dimostrano un'igiene incerta, le unghie altra censura.

"Cercavo una strada, la cara signora. Via Brisa. Una strada con il nome di certi funghi nostri belli e sani e buoni e sodi, che vengon su nei boschi della mia valle, che meno intricati sono di questo quartiero meneghino. Le brise. Conosse? Qui a Milano dite porcini. Ma dica, davero l'ho spaventata?"

"Un po'. Ero sovrappensiero. Colpa mia."

Odora di qualcosa che si direbbe selvaggina. Forse pernice? No, fagiano. Fagiano ben frollato. E all'improvviso la paura se ne va come un fagiano che s'alzi in volo da un cespuglio, perché ho un'agnizione: questo non è un barbone, ma El Panteròn. Cos'abbia della pantera non me lo sono mai riuscita a spiegare, è ingombrante, lento, si muove con il passo impettito di un piccione, insomma per quanto riguarda la felinità il suo voto è zero, eppure il suo è un nomignolo che fior di signore della Vicenza-bene pronunziano con un brivido di senile eccitazione al suo mero apparire ai tavolini di un caffè in piazza Dei Signori: El Panteròn, al secolo Daniele Castagnèr, scrittore veneto di fama nazionale. Scrive dimenticabili romanzi gialli d'ispirazione spirituale che finiscono regolarmente in classifica restandoci per settimane, sessanta-settantamila copie vendute garantite, su questi numeri uno degli ultimi rimasti in Italia. L'ho visto in televisione, una volta anche dal vivo a un premio dove c'ero pure io, un premio minore sia chiaro, e l'unico dove, in vita mia, per miracolo mi sia riuscito d'essere in finale. È successo tanti anni fa, è molto invecchiato, ma non ci sono dubbi, è lui.

"Ci conossiamo?" chiede El Panteròn, scrutandomi.

"Non credo proprio," taglio corto. "Per via Brisa faccia così: dritto di lì in via Santa Maria Fulcorina, poi continua ancora dritto in via Santa Maria alla Porta, poi prende a sinistra in via Meravigli e venti metri dopo, a sinistra, trova via Brisa."

"Quante Marie. Quanta meraviglia," dice Daniele Castagnèr, facendo un secondo passo avanti, sorridendo, finendo col viso a una spanna dal mio.

"Cerca via Brisa angolo via Saterna, può essere?" dico e arretro guardando non lo scrittore veneto ma il mio orologio da polso.

"Can del porco, come l'ha fatto ad azzeccare?"

Can del porco, ripeto tra me e me, badando a non emetter voce. Fagiano. Fagiano molto frollato.

"Tirato a indovinare. Ci sono numerosi individui come lei che vi si recano, ultimamente."

"Individui come me? E che individuo sarei, di grazia, bella signora?"

Io mi stringo nelle spalle, improvviso un gesto con la mano come di liquido volatile che evapori via.

"Buona giornata, scusi, ho un appuntamento, addio," invento, e faccio dietro front. Poi, per tutt'altre stradicciuole che quelle suggerite a El Panteròn, ché tanto qui è un dedalo, faccio ritorno a casa, nella mia smisurata e magnifica casa nel cuore dell'antica Milano delle arti e dei mestieri, a trecento metri da piazza Affari, a seicento dal ristorante Cracco, a settecento dalla Pinacoteca Ambrosiana. In via Brisa angolo via Saterna, sì.

Di nome faccio Sara, di cognome Brivio. Quando a una persona conosciuta per caso e patentemente appassionata di libri – mettiamo: una brava donna con un romanzo in mano, che mi sono ritrovata sul sedile di fronte in treno – quando a questa persona confesso che il mio lavoro è quello, cioè scrivere, e lei si complimenta ed emozionata chiede come mi chiamo sperando d'esser capitata davanti a una delle sue autrici del cuore, e allora io dico Sara Brivio, seguono istanti di imbarazzo mentre costei, con lo sguardo vitreo, cerca disperatamente il mio nome nella memoria delle passate letture senza trovarvi nulla, fino all'imbarazzata ammissione che no, non mi ha mai sentita nominare. Un'ammissione alla quale subentra una conversazione stentata, scettica, financo sprezzante, per il sospetto che nasce, nella brava lettrice, di aver davanti una vorrei ma non posso, una dilettante come mille altre, una sedicente scrittrice con il romanzo inedito nel cassetto o, peggio, una con gli inutili libretti autopubblicati con un servizio digitale. Eppure ho nove romanzi alle spalle e due raccolte di racconti. Ho esordito a trentotto anni nel novantacinque con Bompiani sull'onda lunga di *Gioventù cannibale*, il romanzo s'intitolava *Il pane e la morte*, sul "Corriere" mi hanno salutata come un'esordiente da tenere d'occhio, su "TuttoLibri" Angelo Guglielmi mi ha definita "una nuova Silvia Ballestra (sebbene attempata e ancora in parte balbuziente)", e ho venduto duemilanovecento copie. Dopo *Il pane e la morte*, ogni due o tre anni è arrivato regolare il mio nuovo contributo: ancora con Bompiani, oppure Feltrinelli, Mondadori, Rizzoli, mai un editore piccolo, mai neppure un medio, un Effetto Notte o uno Schiaparelli, che ne so, oppure un Minimum Fax, no, mai. Eppure niente, sono una beata signora nessuno. Mai un passaggio a *La Lettura* del Tg5 o da Marzullo in Rai, figurarsi da Bignardi o Fazio, ma mai nemmeno un invito a un festival che conta – Mantova, Pordenone – o anche solo mai una sala bella piena in libreria, sempre la mestizia di cinque, dieci, se andava benissimo quindici spettatrici apparentemente prossime alla morte dal tanto erano sfrante di noia, che mai compravano il libro, che mai facevano alcuna domanda alla richiesta finale di rito, che subito si alzavano e se ne andavano con lo sguardo basso quando chi mi presentava dichiarava chiusa l'angosciante adunata.

Ma chi se ne frega di Marzullo e dei festival, non me ne importa nulla: io ho sempre voluto i premi. Sull'entusiasmo di vedere il mio nome stampato in copertina, sulla soddisfazione d'aver tirato fuori quel che nel profondo avevo da dire, sull'illusione di vendere ventimila copie o anche solo diecimila, sul sogno erotico di finire in classifica o tradotta in francese e inglese ci ho messo da anni una pietra sopra. E allora cosa rimane di gratificante, una volta data alle stampe la tua pur pregnante opera destinata all'anonimato, se non vincere un premio? Non è per la gloria, figuriamoci, i premi non li conosce nessuno, ridicoli quelli che li elencano come medaglie nella quarta di copertina, non è neanche l'indotto di copie aggiuntive vendute, quelle arrivano solo con lo Strega e nemmeno basta essere in cinquina, bisogna vincerlo. I premi significano soldi gratis. Hai scritto il tuo libro in anni di lavoro sfibrante, il tuo cuore è stato spremuto, la tua testa scoperchiata, la tua intimità rivoltata, i tuoi weekend bruciati china sul computer in cucina, la pausa pranzo l'hai spesa con il panino davanti allo schermo, le uscite con le amiche le hai rimandate, tua figlia ti ha odiato perché non la portavi a Gardaland o anche solo da Zara, tuo marito perché non gli badavi, non cucinavi, non scopavi. E per tutto questo non sei nemmeno andata in seconda edizione, l'editore ti ha versato duemila euro di anticipo e finita lì? Ma quale soddisfazione intellettuale di pubblicare, per favore. Quale orgoglio? Qualcosa che ripaghi l'immane sforzo compiuto ogni giorno per anni, questo vorresti, questo vorremmo tutti. Cioè soldi, esatto, agio di scialacquare migliaia di euro senza pensieri come vorrebbe chiunque, le impiegate di banca, gli imprenditori, le maestre d'asilo, i panettieri, le commesse del supermercato, perché mai chi scrive dovrebbe essere diverso, forse perché saremmo artisti? E lo siamo, per carità, certo che lo siamo, ma gli artisti spendono come tutti, il piacere che discende dai beni materiali ci appaga come succede a chicchessia. E per un premio non occorre un minuto in più di fatica, oltre a quella immane che hai già fatto per scrivere il tuo libro, è la gratificazione perfetta, ideale, anzi, per noi grame scrittrici anonime è unguento per lo scorticato cuore che a fatica continua a batterci nel petto, mentre imperterrite stendiamo superflue pagine con la tastiera.

Ecco El Panteròn che là in fondo pigia con l'indice a salsiccia sul citofono dell'ufficio. Lo detesto non solo perché è sempre in classifica con i suoi libretti ipocriti, lo detesto anche perché nel famoso unico premio in cui in vita mia sono arrivata in finale, il premio Greppo D'Oro-Terra di Lucania, uno di quegli stramaledetti premi senza assegno se non per il vincitore, il premio, appunto l'assegno, tremila euro, se l'era preso lui. Quello stesso anno si era già portato a casa il Comisso e pure il Campiello, dunque soldoni, eppure non aveva esitato a scendere in Lucania con due giorni di anticipo per tentare di sedurre, con successo, una mastodontica soprano dilettante, presidentessa del Club Kiwanis di Borgo Venusio, membro influentissimo della giuria tecnica locale che infatti aveva votato e fatto votare per lui. L'indirizzo che ho reso pubblico per le consegne dei libri che partecipano al premio, il mio premio, è quello, numero civico otto di via Brisa, all'angolo con via Saterna, mentre l'ingresso di casa è qui, dietro l'angolo, in via Saterna 2. Bado a non farmi vedere dallo stramaledetto autore del bestseller *Uccidimi come l'elefante uccide lo scarabeo nel giardino*, salgo i tre scalini, sosto all'ombra della marquise cercando le chiavi, poi in casa appoggio con cura la tavola di Omar Galliani sul tavolino dell'ingresso accanto alla mia amata espansione blu di César.

"Sciura!" urla la Gianna. "L'è lé?"

E già che sun mi, ma non ho tempo per la mia cara cuoca e tuttofare.

"L'ha g'ha prèsa o che roba?" urla ancora la Gianna, visto che non le rispondo e infilo il corridoio che gira intorno al piano terra. Prèsa, con la "e" aperta e la esse sorda come in "sale" o "santa", non dolce come in brasato, in vigevanese significa fretta.

"L'ha g'ha sempar prèsa qula lì." E quella lì sarei io, che continuo a ignorare la nostra Gianna perché corro a piazzarmi di fronte alla finestra che dà sull'ufficio. Premo uno dei pulsanti dell'interfono, non quello che mi mette in comunicazione con Kostanza, ma quello che a me fa sentire cosa succede in ufficio e avvisa lei, con una discreta spia verdolina, che io sono qui a guardare e ascoltare. La finestra è a senso unico, di là è uno specchio, El Panteròn non può vedermi, Kostanza nemmeno, ma la mia fida segretaria ora sa che ci sono. È una situazione che si ripete spesso, perché spesso un collega passa di qui a consegnare il suo libro di persona. Le mani dietro la schiena, Daniele Castagnèr s'ingobbisce sulla scrivania e verso Kostanza, forse per guardarle nella scollatura o forse perché, data l'età, l'udito gli difetta.

"La bella signorina," dice, ed ecco che compare la busta gualcita di prima. "Questo partecipa al premio. Se ne prende cura lei?"

Come un cerimoniere pagano porge il pacchetto a Kostanza, che si guarda bene dal toccarlo. Con la gommina in cima alla matita picchietta sul piano della scrivania.

"Qui grazie," dice.

So per certo che s'infila dei guanti in lattice prima di maneggiare i libri degli autori, a me dice che vuole consegnarli integri, immacolati, senza tracce delle sue impronte digitali, sospetto invece che consideri la categoria popolata di zozzoni.

"La signorina bella: il mio libro lo metto volentiera qui, ma il comitato scientifico del premio lo si può salutare?" insiste El Panteròn. Come dar torto a Kostanza? Dalla mia posizione lievemente rialzata distinguo una minuscola foglia e alcune briciole tra i biondi capelli dell'autore del pluritradotto spiritual-giallo *Pompeo senz'anima*.

"Giammai. Come ben esplicito nel bando, i promotori, i finanziatori, il comitato scientifico tutto," elenca Kostanza, ritmando con la matita, "desiderano rimanere anonimi. Mi consideri pure il tramite e l'organo ufficiale del premio."

"Organo? Posso fare una suonatina?" dice El Panteròn. E qui, devo ammetterlo, nel gesto come d'invisibile arpa suonata con ambo le mani con cui accompagna la sua disgustosa battuta, qui, per la prima volta dacché ho contezza del suo aspetto, ravviso in lui una traccia di felinità. Ma la mia bella segretaria lo ignora imperialmente.

"Il nome e il cognome? Il titolo dell'opera?"

"Can del porco, non me conosse? Castagnèr Daniele per servirla, la signorina organina."

Lei drizza la schiena e digita al computer.

"Il titolo?"

"*La porcona e il camposanto.*"

Kostanza lo fulmina con lo sguardo.

"Seriamente?"

El Panteròn avvampa.

"Seriamente cossa? No ghe piase el titolo?"

Kostanza tace e deglutisce. Ma, professionale come il funzionario svizzero che di fatto è, riprende il controllo di sé, abbassa lo sguardo, digita.

"La porcona. E...?"

"Il camposanto!"

"Il cam-po-san-to," compita la mia segretaria battendo sui tasti e subito preme invio, prende la stampata sulla carta intestata del premio, la firma, la consegna al romanziere veneto come ricevuta.

"Grassie," dice lui, non si capisce se risentito o divertito.

"Prego," risponde Kostanza, e con la gommina della matita indica la porta. "Per l'eventuale premiazione le faremo sapere."

"Per l'eventuale premiasione pippappère," le fa il verso El Panteròn, volgendole la schiena, improvvisando un passo impettito come di piccione che balli la rumba, mentre muove verso la porta. Ah, sono così gli scrittori di successo. Sono così quei pochissimi che hanno un nome, quelli cui l'ipotetica brava donna con libro seduta di fronte a loro in treno chiederebbe l'autografo prossima alle lacrime di commozione. Vendono sessanta, settanta, anche centomila copie per libro, sono tradotti in dieci lingue, sanno che qualunque istrionismo non solo gli sarà perdonato ma anzi sarà apprezzato, raccontato, tramandato, speso con amiche, figli, marito, come perfetto aneddoto sul gesto d'artista, sul salto fuori dagli schemi di un anticonformista mai domo. Ma d'improvviso El Panteròn si blocca a metà di una svisata di calcagno e come statua di sale fissa la grande finestra che s'affaccia sul giardino. Allungo il collo. Ah ecco, immaginavo: ci sono Elena e Fanny nude. Bianche come la neve, abbaglianti nel sole, lemme lemme se ne tornano alle sdraio con in mano un centrifugato. Dunque è di nuovo stagione?

Kostanza sospira, preme il pulsante che fa scendere la veneziana sulla finestra del giardino, ignora lo sguardo che Castagnèr le rivolge – uno sguardo di bruciante delusione – poi preme anche il pulsante che fa scattare la serratura della porta.

"Prego," ripete. Quando El Panteròn è uscito prende il paio di guanti in lattice dalla scatola riposta nel cassetto della scrivania e con la punta delle dita apre la busta gualcita.

La descrizione che posso fare delle mie care anzi uniche amiche Elena e Fanny è ricca di dettagli anatomici anche perché questa cosa della nudità gli ha preso la mano. Mentre io ancora esco in dolcevita e cardigan, benché di cotone, loro sono già spogliate adesso, a metà maggio, come d'altronde ancora lo erano lo scorso ottobre quando io già indossavo cachemire a tutto spiano. Ma l'abbronzatura, vuoi mettere prenderla integrale alla luce naturale del sole? Senza fare centinaia di chilometri alla ricerca di orribili spiagge nudiste, poi comunque dubbie e sudice? Questo mi raccontano. Ma io, che le mie amiche le conosco bene, so che quel che non ha prezzo, per loro come per me, giacché nuda con l'estate mi ci metto anch'io, è la risata che ci facciamo alla faccia del mondo. Siamo nel cuore del cuore di Milano, qui fuori gli abiti Caraceni e i tailleur Ferrè sono il canone tra gli abitanti del quartiere, i turisti girano imbesuiti in calzoncini e ciabatte a caccia della chiesa di San Sepolcro o della pasticceria Marchesi, le scolaresche fanno la coda zaino in spalla per entrare in Pinacoteca Ambrosiana, noi invece ce ne stiamo svaccate come balabiòtt sul Monte Verità di Ascona. Potere dei milioni, del giardino, della cinta di cipressi secolari alta dieci metri espiantata da un bosco portoghese e trapiantata qui per trecentoventimila euro, crepi l'avarizia, a protezione dagli sguardi indiscreti e dalle denunzie ai vigili urbani. Dunque, avendole anche in questo istante sotto gli occhi ignude e supine sui cuscini a fasce arancio e verdone delle sdraio, posso dire che Fanny è lunga e stretta, alta e magra, piatta e sgonfia di seno e sedere, ma di ossatura forte, tanto che dal punto di vista geometrico ricorda un cilindro con le proporzioni di una pila stilo. Di piede se non ricordo male ha il quarantadue, in ogni caso una considerevole pinna, mentre la capigliatura è una massa densa, riccia, posata sul cranio come la capocchia su di un fiammifero, di un appropriato color rame, il medesimo del cospicuo ciuffo di peli pubici, mai depilato in vita sua si vanta lei, giacché il solo pensiero di poggiare una lama o strappare della ceretta laggiù le mette i brividi. Legge un vecchio romanzo di Aldo Sughi e porta gli occhiali. Elena, invece, legge un romanzo di Margherita Sarchiafico uscito il mese scorso, ci vede benissimo, è appena un po' meno alta di Fanny però è grossa. Non dico grassa, dico grossa, robusta, coi coscioni, i polpaccioni, le caviglione, le spallone, le braccione, tutto maggiorativo, come il seno per esempio, che benché un po' sceso per via dell'età, cinquanta e passa anni come Fanny, è ancora pieno, florido, insomma delle autentiche tettone, per non parlar del sedere da venere ottentotta, la cellulite ci sarà anche ma si vede solo se pelle e muscoli sono rilassati, altrimenti è un padiglione liscio e teso, un panettone antiparcheggio, una cupola del Brunelleschi. Un donnone che piacerebbe a Robert Crumb, la cara amica Elena, sulle cui spalle il fumettista americano si farebbe volentieri trasportare. I libri che leggono partecipano al premio Brivio. Se non fosse chiaro, è il premio cui El Panteròn, poco fa, ha consegnato la singola copia necessaria alla partecipazione.

L'ho istituito da un anno ed è già alla seconda edizione. Gli ho dato il mio nome, tanto nessuno sospetterebbe mai che dietro ci sia io, della mia ricchezza imprevista non ho detto nulla a nessuno, soprattutto non ai miei colleghi e colleghe, o ai giornalisti, ai critici, o anche solo alle bibliotecarie o alle pochissime lettrici amiche, per cui per tutti sono ancora Sara Brivio, scrittrice-scalzacane. Elena e Fanny invece giocoforza sanno, ma dalle mie amiche non ho nulla da temere quanto a discrezione.

"Altro iscritto," dico, mostrandogli *La porcona e il camposanto*. Sono passata a ritirare il libro di Castagnèr in ufficio, poi sono salita da me, mi sono spogliata ed eccomi qui, benché infreddolita, nuda pure io. Elena e Fanny alzano lo sguardo, studiano la copertina, sorridono.

"Ma guarda te, El Panteròn! Dimmi che è venuto lui in persona", e questa è Fanny.

"È venuto e vi ha viste dalla finestra dell'ufficio."

"Nude?" e questa è Elena.

"Eh certo," dico, allungandomi sui cuscini caldi di sole della terza sdraio. "Pareva sinceramente ammirato."

No comment sulla presunta ammirazione del Panteròn, lo detestiamo tutte allo stesso modo: lui, il suo spiritualismo fasullo, i suoi capelli a porcospino, i suoi libri sempre in classifica contro ogni ragionevolezza.

"*La porcona e il camposanto*. Lo conoscevate? Io mai sentito nominare." Sfoglio il libretto, un tascabile in-sedicesimo di appena cinquanta pagine. Il prezzo è in lire, settemila. "Edizioni Fernandel, Ravenna, millenovecentonovantotto."

Fanny schiocca le dita.

"Ma sì. I primi libretti che faceva Fernandel. Quelli tenerini, simpatici."

Tenerini, simpatici. Fanny non fa queste scelte lessicali nei suoi libri, quando parla invece purtroppo sì. Comunque è vero, i primi libretti Fernandel li ricordo vagamente pure io.

"Il formato in cui sono usciti Voltolini e la Mazzuccato, giusto?" Chiedo. "Poi Castagnèr è passato a Rizzoli e ha vinto il premio Scaffaletto. Era il duemila?"

Elena geme di orrore.

"Il duemiladue. C'ero anch'io e non ho vinto. Ha vinto la vaccata di Castagnèr, un giallo new age dal titolo, lasciate che ve lo ricordi con sgomento, *Sette cadaveri attorno a una mazza di tamburo*."

Faccio il conto: il libretto che ho tra le mani è di vent'anni fa. Castagnèr pubblicava ancora con un piccolo editore prima del salto alla grande editoria, in quegli anni è successo a tanti altri, per esempio a Elena e Fanny, le piccole case editrici con le loro riviste facevano scouting, poi i grandi editori ci prelevavano di peso, soprattutto se eravamo abbastanza giovani, se incarnavamo la figura dell'esordiente acerbo e antagonista però bravissimo, magari con la scrittura rutilante e gaia d'eredità arbasiniana, o per causa generazionale tondelliana, meglio se con dei romanzi dove i riflettori erano puntati sul mondo che cambiava, come prima Ballestra e Brizzi, come poi Ammanniti, Nove, Santacroce e i Cannibali tutti. Il mio primo libro l'ho pubblicato a trentotto anni, Angelo Guglielmi mi ha definita esordiente attempata, forse è questo, l'età, che mi ha subito relegata in seconda fila?

Il premio Brivio in ogni caso è mio e ha queste caratteristiche anomale che mi sono inventata: può partecipare qualsiasi libro, romanzo o raccolta di racconti, a condizione che non abbia mai vinto e non sia nemmeno mai stato finalista in un premio. Non importa l'anno di pubblicazione, non importa se la casa editrice è d'accordo o meno, ed è per questo che molti scrittori arrivano qui con le loro vecchie opere mai considerate da nessuno, portate a mano come reliquie da musealizzare, vedi El Panteròn e pure il grande, vecchio Sughi. Anzi, a dire il vero non importa nemmeno se arrivano, perché il comitato scientifico – io, Elena, Fanny – ha il diritto di iscrivere chi gli pare, senza limiti di tempo, tanto si raccolgono gli iscritti entro la data che abbiamo fissato per l'edizione in corso e dopo un mese già sono aperte le iscrizioni per l'edizione successiva. Perché, se non mi verrà a noia, l'idea è quella di fare due edizioni l'anno, oppure tre, ma anche quattro, fissate quando mi pare, come mi gira. La premiazione dell'edizione passata è stata in ottobre, le iscrizioni a quella in corso si chiudono sabato, per dire. Lo so che è un'anomalia rispetto ai soliti premi letterari. Un'altra cosa per cui il premio Brivio è anomalo? In finale ci vanno in tre, vince uno solo, l'assegno è di euro 500.000. Per chiarezza lo scrivo anche in lettere: cinquecentomila.

2.
L'apparizione di via dei Mulini

Da via Nerino a Vigevano, in Jaguar, in una notte qualsiasi senza traffico come questa, ci vogliono trenta minuti. Uscita dal garage ho percorso il labirinto delle vie più centrali, poi ho superato la consueta sequenza di semafori e rotonde per approdare all'estuario del Lorenteggio. Quando faccio questi giri notturni verso la mia città natale, passando per i viali milanesi che portano in periferia spesso vagheggio di accostare ed entrare in uno dei grandi bar desolati oltre la cerchia delle circonvallazioni, con dentro gli avventori sbracati sulle seggiole che fissano un televisore o ascoltano qualcuno che arringa su chissà cosa, oppure fuori con le sigarette, stagliati contro l'abbaglio delle vetrine, in camicia non importa la stagione, che si sussurrano confidenze tra uomini, perché sempre solo uomini sono, sformati, malconci, minacciosi, che guardano straniti la mia auto di lusso e me, una donna sola al volante che rallenta e ricambia i loro sguardi senza abbassare gli occhi. Vagheggio di accostare, entrare, prendere un caffè o un'aranciata e vedere cosa fanno, sentire cosa dicono, rispondere se attaccano discorso, accettare da bere se me lo offrono, seguirli se mi chiedono di andare a fare una passeggiata o un giro in macchina, e ancora vedere, vedere cosa succede. E cosa succederà mai? Vorranno rapinarmi, prendermi la Jaguar, l'orologio, i gioielli, farsi fare un pompino, addirittura scoparmi? Mi va bene tutto, magari così almeno mi verrebbe voglia di scriverla, di raccontare la squallida avventura.

Invece accelero e tiro diritto. Ho sessant'anni e non più il coraggio, o forse sono solo stanca, pigra, annientata dalla menopausa, consapevole di eccitare la fantasia erotica se mi va bene di un uomo su diecimila. Dunque vado e passo il quartiere Zingone, prendo la statale lungo il naviglio, entro a Vigevano dal ponte sul Ticino, rallento ai semafori che all'ora in cui transito già lampeggiano sul giallo, poi m'infilo nel nostro vecchio centro giù per via dei Mulini, proprio come ho fatto stanotte. Qui, nella mia mesta cittadina della provincia lombarda, le strade sono ancora in porfido e i giardini pubblici curati bene, ma fuori dalla piazza Ducale – che è più in basso, al centro di un groviglio di vie, murate, piazzette chiuse al traffico – di gente in giro ancora non ce n'è malgrado la stagione e la temperatura mite, ventidue gradi dice ora il termometro della sontuosa XJ. Qui, in via dei Mulini, ci abitano egiziani e tunisini, niente neri, niente italiani o quasi, era così vent'anni fa, da queste parti ci ho ambientato il mio primo romanzo, così è ancora, non è cambiato nulla, non c'è un negozio nuovo, un baretto, un ristorantino, niente, solo questi portoni aperti di giorno e di notte, bocche nere spalancate su cortili che portano ad altri cortili che portano a corti dei miracoli di panni stesi, giocattoli in frantumi, auto con le gomme sgonfie abbandonate in un cantone.

In basso, sulla destra, prima dell'angolo con via della Costa, c'è il condominietto anni sessanta dove abitano mio marito e nostra figlia. L'appartamento è al secondo piano, le luci sono spente, normale, è mezzanotte e venti, conosco le loro abitudini, sono anni che mi apposto qui. Prima, quando ancora abitavo a Vigevano nell'orrendo stabile degli egiziani, ci venivo in bicicletta e mi nascondevo dietro le auto parcheggiate, una vera persecutrice con il cappello calato sul naso e due maglioni sotto l'impermeabile per dissimulare la fisionomia. Adesso invece parcheggio la Jaguar cercando solo di non mettermi sempre nello stesso punto e di lasciare un po' di distanza tra l'automobile e l'ingresso, tanto nessuno sa che ho dato l'addio alla Fiat Panda e sono passata alla berlina inglese. Oggi trovo un posto oltre il condominio, sul lato sinistro della strada. Nel retrovisore inquadro la nostra palazzina, il portone in vetro zigrinato con l'ornamento di aste d'ottone, la facciata decorata di minuscole piastrelle azzurre, le finestre con le veneziane, i balconcini con le ringhiere verniciate di marrone. Sono quattro appartamenti, loro stanno al piano superiore. Anche le luci degli altri condòmini sono spente: l'Adriana Balduzzi, il ragionier Tiraboschi, il geometra Gallina. L'Adriana ha ottantanove anni e non si è mai sposata, i due gentiluomini sono entrambi vedovi, entrambi in pensione da trent'anni, entrambi aggrappati con boria al misero bastione del loro titolo di studio. Li conosco bene, ho abitato qui fino a dieci anni e un mese fa, la data la ricordo con esattezza, è facile, era il venticinque aprile del duemilaotto.

Ah ecco mio marito, anzi ex. Il prefisso non mi viene naturale, devo sforzarmi per dirlo e anche per scriverlo, viviamo separati da quella data, poi abbiamo divorziato legalmente sette anni fa, ma prima abbiamo vissuto insieme per quasi trenta, non mi sono risposata, non ci ho mai nemmeno vagamente pensato, lui resterà sempre quello, mio marito. Giorgio arriva sulla sua vecchia Renault grigia, percorre veloce via dei Mulini, frena, svolta accostando il muso al portone del condominio, poi scendono dalla macchina lui e il suo amico. È lo stesso da tre anni, data l'età Giorgio ha preferito passare alla relazione stabile. Lo riconosco ma a dire il vero non so chi sia, come si chiami, che lavoro faccia ammesso che lavori, o da dove venga, ma a giudicare dal colore della pelle e stando alle statistiche sui flussi migratori verso Vigevano me lo immagino della Costa d'Avorio. Aprono il portone con gesti automatici, precisi, d'altronde lo fanno quasi ogni sera, l'amico come sempre si occupa della grossa anta che dà accesso al passo carraio, la spinge e la spalanca senza sforzo. Non è un uomo bellissimo ma ha un corpo ben fatto, asciutto, proporzionato, a vederlo spostare con facilità tutta quella ghisa noti il vigore dell'africano che è ancora all'inizio dei suoi trent'anni. Giorgio invece fatica a piegarsi per spingere al suo posto il fermo della porta piccola che usa chi entra a piedi. L'amico lo raggiunge, gli mette una mano sulla spalla, lo aiuta a raddrizzarsi, lo fa spostare, ci pensa lui. Poi parlano per un minuto. Ho abbassato il finestrino di due dita per origliare, la strada è deserta, silenziosa, ma ugualmente non capisco niente, si dicono quel che si dicono con le teste che quasi si sfiorano, il motore acceso della Renault copre le parole sussurrate sottovoce. Poi mio marito guarda l'ora, fa un cenno come per dire vai, l'altro si china – si deve chinare, perché supera Giorgio di una spanna –, gli sfiora la guancia con un bacio, infine s'incammina su per via della Costa con il passo di chi ha fretta di tornare a casa. Mio marito risale in auto e scende lungo lo scivolo che porta ai garage. Due minuti dopo torna a chiudere il portone, lo spinge lentamente, con fatica, la schiena incurvata come se gli dolesse, altro che l'africano. Poi sale in casa. La luce del soggiorno si accende e resta accesa. Se l'amico non si è fermato e lui non va a dormire vuol dire che questa notte mia figlia rientrerà. Sono le dodici e mezza, d'abitudine torna dopo l'una. Reclino di un poco lo schienale, abbasso completamente il finestrino. C'è silenzio, solo un televisore acceso da qualche parte, sembra una cronaca sportiva, è in arabo, ma il volume è così basso che riesco a distinguere persino lo scroscio della roggia che, cinquanta metri più in alto, fa il suo salto accanto al vecchio mulino. Per un bel pezzo qui in strada non c'è nessuno. Poi una bicicletta senza faro arriva in volata e imbocca l'incrocio con via del Carmine. Poi anche il televisore tace, rimane solo lo scroscio della roggia. Io prendo il fresco e aspetto che Monica arrivi.

Avete mai fatto caso che non c'è nulla di meglio che stare sole, di notte, nel guscio rassicurante della vostra auto, per schiarirsi le idee? All'una e un quarto di mia figlia ancora nessuna traccia ma io intanto mi sono fatta un quadro preciso della nuova edizione del premio. La formula inaugurata all'esordio la rinconfermiamo senz'altro, è deciso, d'altronde non c'erano grandi dubbi, dietro al concepimento del premio c'è sempre stata proprio quest'idea ben precisa: premiare un collega che stimiamo, uno anticonformista, fuori da ogni giro, uno scrittore che si meriterebbe decine di migliaia di copie vendute e l'osanna dei critici e che invece vende le sue due o tremila, è sostanzialmente ignorato da chi scrive sui supplementi e da chi detiene un posto fisso nelle giurie, e di conseguenza non ha mai vinto un fico secco. È il ritratto di Fanny ed Elena. Ma pure il mio, o almeno quando pecco d'immodestia – cioè sempre, come fa qualsiasi scrittore – io mi dipingo esattamente così. Invece, gli altri due finalisti sono i cretini di turno. Ci tengo a dire che la mia immodestia non arriva a farmi pensare che scrittori di indiscutibile professionalità come Loris Gatti e Gianfranco Fighiraghi siano dei cretini, giacché loro, nel novembre dello scorso anno, sono stati i non-premiati della prima edizione. Ma che nelle recensioni, in televisione, nei premi letterari, nei festival, ultimamente abbiano la tendenza a essere portati in palmo di mano se non santificati, a dispetto dei loro libri che diventano sempre più insipidi, è qualcosa che mi sento pronta a scrivere e se necessario firmare in calce. Io e le mie due amiche non li sopportiamo. Moriamo d'invidia, chi si sogna di negarlo, ma l'invidia nasce da una del tutto razionale constatazione di appartenere a un medesimo livello creativo e qualitativo, e dal veder loro prendere tutto con sprezzo e imperiale alterigia verso noi colleghe, che invece non riceviamo neanche gli avanzi. Perché diciamolo, chi mai si sognerebbe di invidiare mettiamo Haruki Murakami o Joyce Carol Oates se vincessero, putacaso, il premio Nobel per la letteratura? A quelli veramente bravi non si invidia nulla perché si meritano tutto, l'invidia motivata per le immeritate fortune dei mediocri alimenta invece le ragioni della critica, ingigantisce il disappunto, lo trasforma in disprezzo. A sentirli parlare in tv con falso, garbato understatement del proprio successo, la noia presto diventa nausea, e non sto citando dalla bibliografia di Moravia o di Sartre. Gatti e Fighiraghi lo scorso ottobre erano in finale al Brivio con la stessa ratio con cui François Pignon, il costruttore di modellini con i fiammiferi, era l'invitato al centro della *Cena dei cretini* nella commedia di Francis Veber. Cioè loro erano là in buona fede, affatto increduli per il colpo di fortuna che gli era capitato, anzi affettando umiltà, ma nell'intimo tronfi, convinti di meritarsi tutto per la loro opera di artisti della pagina, anche una sberla di assegno da cinquecentomila, odiandosi a vicenda, ciascuno custodendo nel cuore la speranza di essere lui a portarsi a casa la cifra e non l'altro, nonostante entrambi partecipassero con un vecchio libro minorissimo. Invece non sapevano niente, cioè che non avevano alcuna possibilità di vincere e che in finale ci erano andati per il solo nostro piacere di prendere entrambi per il culo.

Al premio Brivio, prima edizione, c'era un tabellone elettronico come quelli che si usano sui campi da basket, a grossi led, con i nomi dei tre finalisti, i titoli dei libri, e un conto dei voti che arrivavano dallo spoglio delle schede di una giuria di lettori. Nello stile del premio – sobrietà, segretezza, rigore svizzero – non solo nessuno sapeva chi facesse parte dei cento della giuria, ma la giuria medesima era raccolta in un luogo remoto, in modo che non fossero possibili compravendite dell'ultimo minuto, e i voti arrivavano attraverso un sistema computerizzato. Tutte invenzioni, naturalmente non c'era nessuna giuria. Nel mio giardino attrezzato con tendoni contro la pioggia e radiatori in caso di temperature troppo basse, tra giornalisti invitati da tutta Italia e ospitati al Manin, tra camerieri in giacca nera che servivano Cristal, era Kostanza, elegantissima nel suo tailleur di sartoria, che al desco sotto al tabellone faceva crescere il numero dei voti secondo la sequenza che io, Elena e Fanny, nascoste in biblioteca al primo piano, le comunicavamo via auricolare. Ghignanti, dietro la grande finestra panoramica affacciata sul giardino osservavamo tutto senza perdere alcun dettaglio, grazie all'aiuto di dodici telecamere piazzate nei punti strategici e di altrettanti sistemi audio HD. *Merce di scambio* di Gatti, romanzo del duemilatré, e *L'ultimo Mon Chéri e altri grandi piaceri della vita*, raccolta di racconti di Gianfranco Fighiraghi uscita nel duemilasei, li avevamo trovati spulciando le loro bibliografie per scovare qualcosa di miracolosamente mai premiato, e abbiamo voluto che nella prima edizione ci fossero proprio loro due, Gatti e Fighiraghi, perché erano nomi enormi, strepitosi, che ci stavano profondamente sull'anima e che, allo stesso tempo, avrebbero attirato l'attenzione sul premio. Infatti il giardino era pieno, tutti gli invitati erano venuti ad assistere, un premio nuovo in un'epoca in cui molti di quelli storici devono segnare il passo per mancanza di quattrini, 500.000 euro per il vincitore, libri selezionati senza il vincolo della recente pubblicazione, Gatti e Fighiraghi che si sfidavano in finale, un giardino privato nel centro di Milano, champagne Cristal ad libitum: come si poteva mancare?

Allo spoglio del cinquantesimo voto *L'ultimo Mon Chéri* era a ventuno, *Merce di scambio* a venti e il terzo finalista, quel capolavoro dimenticato della narrativa italiana del nuovo millennio che è *Cargo* di Matteo Galiazzo, il titolo da premiare al Brivio venuto per primo in mente a me, Elena, Fanny, era solo a nove. Gatti e Fighiraghi scherzavano tra loro, fingendo che non gli importasse, in realtà augurandosi a vicenda diarrea, infarto, morte. Ma come, pensava ciascuno di loro due, riferendosi all'altro, questa sottospecie di Fabio Volo inurbato non vorrà mica fottere uno scrittore con la maiuscola come me? Questa schiappa, questo leccapiedi, questo protegé del Pd, questo amico del direttore generale Rai? Mentre Galiazzo nemmeno lo consideravano, a stento sapevano chi fosse, l'avevano salutato malvolentieri e solo perché l'avevamo fatto sedere accanto a loro in prima fila nei posti riservati, e per tutta la sera non avevano fatto altro che ignorarlo e bisbigliare tra loro dissimulando l'odio reciproco sotto una pettegola complicità: copie vendute da questo, anticipo ricevuto da quello, cambio dell'editor in Mondadori, nuovo direttore editoriale in Bompiani, contratto di Tizio con la Rai, sceneggiatura di Caio per Virzì, testo teatrale di Sempronio a quattro mani con Walter Veltroni. All'ottantesimo voto Gatti era a trenta, Fighiraghi a ventinove, Galiazzo a ventuno. Al novantesimo Gatti trentuno, Fighiraghi trentadue, Galiazzo, in incredibile rimonta, ventisette. L'autore di *Cargo* non aveva nemmeno tolto il giubbotto, era venuto con la sciarpa del Genoa e le scarpe da tennis, beveva lo champagne, mangiava i vol-au-vent, chiacchierava con la fidanzata, si guardava intorno divertito senza farsi alcuna illusione, non pensava nemmeno per scherzo di poter vincere davvero. Gatti e Fighiraghi, figurati! Si agitavano sulle seggiole e guardavano imbufaliti l'autore di Genova che rimontava: ma come, si chiedevano, ma chi è questo, ma come si permette, si vabbè tre libri all'epoca dei Cannibali ma adesso che vuole? Uno per di più sparito subito dopo dalla scena editoriale, uno che non pubblica più niente dal duemiladue, uno che ha smesso di scrivere, che si è *ritirato*. Lo dobbiamo anche ripetere? Ma che *stracazzo* vuole?

Al falso spoglio della novantanovesima scheda erano tutti a pari, voti trentatré. Gatti, fumatore, sovrappeso, invecchiato male, ansimava cianotico, una mano a tastarsi il collo per controllare pulsazioni, tachicardia, extrasistole. Fighiraghi guardava fisso un punto tra i cipressi che circondano il giardino, la fronte aggrottata, le orecchie tese, come se stesse ascoltando il sussurro inaudibile di uno spiritello. Galiazzo invece spostava lo sguardo ora sull'uno ora sull'altro ora su Kostanza tenendo la schiena diritta, il collo teso, la testa che scattava qua e là come quella di un suricato. Quando il centesimo voto era arrivato ed era stato assegnato a lui, Galiazzo aveva fatto una risatina e un battimani, aveva scosso la testa dicendo cinquecentomila, poi si era alzato e aveva porto la mano agli altri due contendenti. Che gliel'avevano stretta senza la forza di guardarlo in viso. Gianfranco Fighiraghi si era allontanato, le nostre telecamere l'avevano colto a fracassare una sedia contro le beole del vialetto che gira dietro il pino mugo. Loris Gatti se n'era andato immediatamente, senza salutare nessuno, curvo, la testa incassata tra le spalle, camminando veloce verso il cancello su via Brisa insieme al ragazzino con cui era arrivato e che aveva costretto a sedere in ultima fila, uno scuro di pelle, forse cingalese forse indonesiano, prima prendendolo sottobraccio, poi, in strada, si è visto bene dalla telecamera esterna, a pedate nel sedere. Il quadro preciso che qui nella Jaguar mi sono fatta di quest'anno è che uno dei due cretini sarà El Panteròn, da settimane lo vagheggiavamo tra i papabili, dopo la sua sortita con tanto di autocandidatura di oggi pomeriggio a me, Elena e Fanny la sua presenza in finale al

Brivio è sembrata imprescindibile. L'altro sarà mio marito, scrive anche lui, Giorgio Nembro, mai sentito? Ah no? E ci credo, ha pubblicato due raccolte di racconti negli anni novanta con l'editrice Carta di Riso di Remondò, roba localissima, essenzialmente lomellina, e poi per miracolo, anzi diciamolo pure per mio intervento, dato che ben conoscevo l'editor e gliel'ho inoltrato, ha pubblicato un romanzo semidecente con Neri Pozza nel duemiladue. Poi ancora, visto l'insuccesso del semidecente, niente fino a cinque anni dopo, quando finalmente Carta di Riso si è impietosita e gli ha preso quello che lui considera il libro della sua vita, il capolavoro, *L'odissea di Bernard Kaboré*, seicento pagine di risciacquatura di piatti pietistica su un immigrato dal Burkina Faso che viene assunto e poi licenziato da una decina di aziende risicole della nostra zona, una mattonata colossale passata sotto completo silenzio, nemmeno un trafiletto sulla "Provincia Pavese", cosa che tra l'altro non mi ha mai perdonato perché voleva che glielo recensissi io, sì, proprio sua moglie, sul "Foglio", quotidiano dove una volta al secolo mi prendevano un pezzo, tanto che secondo me in realtà ha divorziato per questo, il caro Giorgio, mica per il casino che ho combinato e quel che ne è seguito. Dunque un perfetto candidato, lui e il suo spaventoso *Bernard Kaboré*, per un finalista non vincitore al Brivio prossimo venturo. È giustappunto uno dei libri che ho iscritto io d'ufficio, guarda che coincidenza. Quanto al premiato, questa volta probabilmente sarà una scrittrice. Con Elena e Fanny stiamo pensando a Claudia Durastanti, Stefania Bertola, Angela Scarparo, Annarita Briganti, adesso vediamo, di brave e non abbastanza valorizzate ce n'è quante ne vogliamo, ne scegliamo una e cominciamo da lei, tanto prima o poi il premio lo diamo a tutte, anche se un pensiero a qualche mio scrittore-feticcio di sesso maschile non riesco a non farlo, vedi Massimiliano Parente, vedi Marco Drago, vedi Gaetano Cappelli. Ma aspetta: ecco Monica che arriva.

Mia figlia scende da una Volvo, una berlina scura, chissà che modello è, che ne so io di auto svedesi, ma comunque un punto a te, oscuro accompagnatore invisibile dietro i vetri fumé, per non guidare un orrendo Suv, o una sportiva impertinente, o una Bmw. Un altro punto perché arrivi, accosti, scambi un bacio veloce con mia figlia e non stai lì a mettere in piedi un teatrino di effusioni come faceva quel cascamorto che l'accompagnava l'anno scorso. Il nuovo amico con la Volvo, però, perde subito uno dei punti guadagnati perché non appena Monica ha richiuso la portiera riparte e se ne va senza aspettare nemmeno che mia figlia trovi le chiavi nella borsa. Lei questa sera è come sempre bellissima ma insolitamente elegante. Mi viene da immaginare che con il frettoloso uomo in Volvo siano stati a una festa, a una cena, forse al Rotaract, Monica è entrata nel club dei giovani rotariani da un paio d'anni, d'altronde il mio ex marito è rotariano pure lui, nella sezione di Vigevano riempie la casella della professione con "artista", ogni volta che ci penso mi prendono le convulsioni dal ridere. Comunque Monica, che è alta e con un fisico sottile e armonioso, indossa un abito nero semplice, intessuto solo di un piccolo giro di strass intorno allo scollo, e porta il filo di perle della madre di Giorgio, visto che il mio me l'ha tirato dietro quando è successo tutto il casino e si è fracassato, le perle rotolate chissà dove, mai ritrovate, nemmeno cercate. Calza delle ballerine nere, meno male, alta com'è con i tacchi sembra vagamente un fenicottero, per non parlare di quanto sia un cliché questa storia della donna che per essere elegante o tacchi o morte. Si è tinta i capelli, almeno così mi pare sotto questa luce artificiale che sbianca tutto, mi sembrano più chiari, stavolta proprio biondi, tagliati più corti dell'ultimo appostamento notturno, venerdì della scorsa settimana. Fruga nella borsa, prende le chiavi, rigirandosele tra le mani per trovare quella del portone. Il mazzo le cade, che fragore nella notte silenziosa. Ma ancor più fragoroso è lo strillo di Monica: si è chinata a raccogliere le chiavi quando la portiera di una vecchia Alfa parcheggiata appena dopo il portone all'improvviso si spalanca e come una furia scende una donna. Una donna anziana, alta, ossuta, una vera giraffa con una gran massa di ricci, delle scarpe da tennis bianche, un soprabito color rosso fuoco. Mia figlia la fissa sbigottita. L'apparizione non ha neanche richiuso la portiera, si è piazzata di fronte a Monica con i pugni sui fianchi, le gambe larghe, la testa inclinata di lato.

"Dè, sei te la Nembro? La figlia del Giorgio Nembro e della Sara Brivio?"

Monica non risponde. Chi risponderebbe a una che ti fa un agguato del genere in piena notte, vestita a quel modo, con quei capelli e questa voce, la voce di una giraffa con la raucedine? Monica cerca solo di infilare la chiave nel portone.

"Spetta, dov'è che vai?" dice la Giraffa, afferrandole il polso. Monica terrorizzata dal contatto strilla di nuovo, più a lungo, perché la Giraffa non solo l'ha afferrata ma ora, nonostante mia figlia cerchi di liberarsi, mica molla la presa.

"Shht, citu che è tardi! Sei te la Nembro o no? La figlia della Brivio?" ripete la Giraffa, o così mi pare, perché a questo punto anch'io ho spalancato la portiera, sono scesa, sto correndo verso di loro.

"Lei tenga giù le mani dalla ragazza. Guardi che ho già chiamato il centodiciotto!"

La vecchia, magra gigantessa in rosso scuote la testa.

"No. Il centodiciotto è per l'ambulanza, cosa c'entra?"

"E ci mancavi solo tu: prima la pazza adesso pure la stronza," ringhia invece mia figlia, finalmente divincolandosi dalla presa. Infila la chiave nella serratura, spalanca la porta, entra. Mentre fa per richiudere la Giraffa ficca uno dei suoi enormi piedi nel portone. Monica, quale ammirevole prontezza la mia bambina, le rifila un calcio sullo stinco e quella salta via. Prima di richiudere e salire a casa, in salvo, dall'ultimo spiraglio del portone mia figlia guarda me, non lei.

"Crepa," dice. Poi sbatte il portone e addio.

Ci credete? Non trovo di meglio che scoppiare in lacrime.

"E te che vuoi?" dice la Giraffa massaggiandosi lo stinco, come se fossi io a doverle delle spiegazioni. Io che dalle lacrime son passata ai singhiozzi. Perché ci credete, pure, che queste son le prime parole che mi rivolge mia figlia dal famoso venticinque aprile duemilaotto? E sono state un insulto e un sentito augurio di morte prematura.

"Io sono *la mamma!*" sbraito, adoperando per sbaglio questa parola che non uso più da secoli, perché io ormai piuttosto dico madre, oppure genitrice, oppure uso parafrasi, uso qualcosa che sia freddo, misurato, lessicalmente corretto ma privo di sdolcinature, di promesse d'affetto, di ricordi di vocine, manine, piedini, tenerezze, abbracci che non mi appartengono più, mondo maledetto e crudele, così crudele che solo a dirlo, mamma, adesso mi viene da piangere ancora di più.

"La mamma? Allora sei te la Brivio? La Brivio Sara? La figlia del Brivio Angelo?"

Io prima annuisco, perché certo, Angelo Brivio era mio padre: l'uomo escrementizio dal quale pure ho ereditato la fortuna che mi ha cambiato la vita, ma che escrementizio rimane. Poi subito smetto di annuire. L'idea in effetti sarebbe: ma questa pazza che vuole?

"No," mento. "Non sono io."

"Ma se hai appena detto che sei la mamma della ragazzina," sbotta questa qua, insolente, con i pugni di nuovo sui fianchi, la testa inclinata come prima, la voce petulante, malvagia.

"Conoscevo tuo padre, sai?" va avanti a dire. "Dè, ma mi senti? Perché sei te che cerco, mica la ragazzina. Cerco sua mamma. Te se tì, giüst?"

Mi? Sì, sun mi, ma io anziché risponderle scatto, la scarto, corro verso l'auto. Lei è solo un'anziana goffa piena di rughe, e sebbene anch'io sia anziana ho solo sessant'anni e non i suoi settanta, ottanta, mille. E adesso che sono al volante della Jaguar la Giraffa malvagia me la bevo come voglio, penso, dopo aver chiuso le portiere con la sicura elettronica, asciugandomi le lacrime, accendendo il motore, accelerando in direzione Milano. In effetti io ho una cilindrata quattromila e lei forse un'Alfa milledue. Comunque, i suoi fari me li vedo negli specchietti fino al ponte del Ticino. Poi sulla statale verso Abbiategrasso allungo ai centottanta, la stacco, e addio.

3.

Il gomito della coscienza

Affacciata alla finestra dell'hotel Marriott di Copenaghen lascio correre lo sguardo sul panorama. La finestra è a parete, da pavimento a soffitto, la camera, al dodicesimo piano, è una suite di novanta metri quadrati, quasi due volte il mio vecchio appartamento vigevanese. Il panorama comprende il braccio di mare che taglia in due la città qui sotto l'hotel, più in là i laghi, ancora più in là il mare aperto, il ponte di Øresund, e dopo di quello, se lo sguardo non m'inganna, quel lembo di terra dovrebbe essere la Svezia. Il tempo è bello, c'è un sole basso ma pulito, affilato, e poi certo ecco qualche nuvola in direzione Svezia, ma nuvola del genere decorativo, cumuli-nembi, al modo di cucchiaiate dense di panna montata adagiate nel cielo. Guardo, prendo il romanzo nuovo di Kureishi, *Uno zero*, bello anche lui, affilato quanto il sole, Santo Hanif, ma lo apro e subito lo chiudo perché mi accorgo che non me la sento di leggere. Non ho la convinzione, la disponibilità all'incanto, la serenità, le stesse che occorrono per scrivere. Riporto gli occhi sulla città, sul mare, cerco di lasciarmi invadere dalla sensazione che qui va bene, che qui sono al sicuro.

Non ho granché voglia nemmeno di uscire, credo che rimarrò in camera, che mi farò portar su la cena. Ieri notte quell'orribile spilungona vestita di rosso mi ha spaventata. Ossuta Giraffa, chi sei? Perché conosci mio padre? Giraffa, perché sai dove abitano mio marito e mia figlia? Perché cercavi me? Mi hai spaventata e io ho dovuto andarmene via da te e dalle mie paure, vedere qualcosa di nuovo, di bello, portarmi un libro da leggere, non pensarci più, pensare solo che sto bene. In teoria non è difficile: basta andare a Malpensa, ai desk delle compagnie aeree, prendere il primo volo con un posto libero in business, prenotare l'albergo più caro. Basta spendere, e adesso io posso. Adesso vado e torno quando mi pare a Madrid, Amsterdam, Bruxelles, Parigi, Londra, Berlino, ora aggiungiamoci Copenaghen. Ma anche mia figlia. Anche Monica ha aiutato a non farmi dormire questa notte, anche da quel che mi ha detto vorrei scappare. Non è stata una sorpresa, da anni le scrivo lettere, email, ho persino aperto un profilo finto e le ho chiesto l'amicizia su Facebook, alle lettere non mi ha mai riposto, su Facebook mi ha riconosciuta e bloccata. Sono passati cinque anni da quando non ce l'avevo più fatta a starle lontano, a rispettare il suo desiderio di separazione, cancellazione, e disperata mi ero messa ad aspettarla un giorno a caso davanti all'università, in Statale, a Milano, decisa a fermarla, spiegarle, se necessario inginocchiarmi per chiederle perdono, pietà, ma quando era arrivata mi aveva inquadrata, io le avevo fatto un sorriso sbagliato, ebete, l'avevo salutata con la mano, lei invece aveva solo sbuffato. Aveva fatto dietro front sui tacchi come un soldato, si era infilata nel primo taxi del deposito in via Francesco Sforza, goodbye. Il cuore che negli anni avevo a malapena ricostruito era di nuovo andato in pezzi, gli appostamenti notturni – almeno vederla, magrissima consolazione – erano cominciati qualche settimana dopo e dunque non è stata una sorpresa, ma le parole "stronza" e "crepa" sono comunque le prime che mi ha rivolto dal giorno disastroso in cui tutto si è originato. Sospiro, mi alzo, vado al telefono, chiamo il concierge. Ordino una bottiglia di champagne, sì, Dom Perignon va benissimo, e gli dico wait, aspetti, mentre scorro il menu del ristorante dell'hotel e non ci capisco niente, i piatti sono in danese, svedese, vai a sapere, forse finlandese, scelgo a caso, number two and four please, tanto mi piace tutto, tanto l'importante è la lontananza, la camera, il panorama, il lusso. Il guscio in cui la consapevolezza di essere infinitamente ricca ti racchiude scacciando l'ansia, lenendo il dolore. Mi risiedo alla finestra, prendo *Uno zero*, di nuovo non mi va e lo lascio, invece apro il telefono, vado online su AbeBooks, cerco Kureishi, *The Buddha of Suburbia* autografato, ne trovo una prima edizione con dedica a Michico Kakutani, o questo dichiara, tra i punti esclamativi, la libreria di New York che l'ha messo in vendita. Lo prendo a 280 dollari, lo faccio spedire all'indirizzo dell'ufficio di via Brisa a nome di Kostanza e ora la sensazione di possedere un frammento autentico, una reliquia benedetta di uno degli scrittori che più ammiro, passata per le mani del critico di cui ho più rispetto, diventa la sensazione di poter fare qualsiasi cosa, non importa quanto costi, non importa quanto complicata, per avere ciò che davvero amo. Ora, posso tornare a leggere. Riprendo il libro dal tavolino, mi metto comoda sulla poltroncina, allungo le gambe, riapro dove ho infilato il segnalibro e lascio che scattino i meccanismi deliziosamente scorrevoli della finzione e dell'empatia, così che mi ritrovo in un appartamento di Londra, parteggio per Waldo sulla sedia a rotelle mentre Zee, di là, si rende odiosa palpeggiando Eddie lo squallido, Eddie il millantatore. Questa è la potenza della scrittura, che bello se riuscissi a tornare a scrivere anch'io, ma chi me lo fa fare? Dove trovo la forza, la ragione o, come si diceva negli anni novanta, riempiendosene la bocca, l'*urgenza*, la *necessità*? Per scrivere occorrono convinzione, disponibilità all'incanto, serenità, appunto, le stesse che occorrono per leggere, solo cento volte più grandi. Ecco finalmente una cosa in cui essere infinitamente ricca non mi può aiutare, anzi. Essere infinitamente ricca ti dispiega davanti un tale ventaglio di possibili piaceri che la sofferenza del tavolo, della sedia, del computer, ti dà il voltastomaco al solo pensiero.

Il piatto numero due era una carne saporita e scura, forse alce oppure cervo, in una salsa di mirtilli, ribes, more, chissà. Credo di averne assaggiata anni fa una versione deprimente all'Ikea di Cinisello Balsamo, qui invece una delizia. Il numero quattro era un pesce al gusto di fumo su di un purè arancione, con dei fiocchi croccanti verde scuro, alghe o spinaci, di nuovo chissà, ma tutto bellissimo, tutto buonissimo, lo chef del ristorante dell'hotel pare abbia una stella e si vede, il Dom Perignon poi era all'altezza del prezzo e della fama, metà bottiglia è andata. Sono le sette e sono nel nirvana, con il cervello cotonato.

Il sole si è abbassato ma è primavera, campa cavallo prima che tramonti quassù al nord, le luci di Copenaghen in ogni caso si sono già accese mentre ogni cosa – il cielo, l'acqua, l'aria – si è colorata di blu. Ora blu, note blu, velluto blu. Klein Blue, Love in a blue time, Derek Jarman's Blue. Questo succede ogni qual volta a sessant'anni io provi a ricordare: tutto quel che ho letto o visto diventa una filastrocca di titoli, un paravento di parole d'ordine, ma cosa ci sia dietro chi se lo ricorda più. Si spera che le radici siano rimaste nell'anima, per così dire. Si spera che io sia la persona che sono proprio perché tutto questo l'ho visto e letto. Giù un altro flûte di champagne in ogni caso, e mentre il blu diventa ancora più blu, il pensiero torna lieve a Milano, alle amiche, al premio. Al concetto di Cùlec.

È una definizione di Elena, la mia cara amica con il guilty pleasure della fantascienza, che l'ha mutuata per assonanza da Parsec, parallasse di un secondo d'arco, unità di misura utilizzata in astronomia e nella vecchia science fiction dei viaggi spaziali per esprimere enormi distanze interstellari. Il Cùlec per la mia amica è l'unità di misura del servilismo. Secondo lei un Cùlec è una grandezza enorme, appunto come il Parsec che vale la bellezza di 3,26 anni luce, tanto che tutti i ruffiani a lei noti arrivano al massimo a frazioni di Cùlec, diciamo 0,3 o 0,2 o anche inferiori. Ebbene, per Elena, invece, El Panteròn è uomo da un Cùlec virgola zero. Un Cùlec pieno. Al premio Scaffaletto vinto dal Castagnèr, l'anno in cui pure Elena era stata selezionata, corre in effetti voce che fosse riuscito a estorcere la lista dei cento bancarellai e librai della giuria votante e che nel corso delle due settimane che precedevano la votazione si fosse recato da ognuno di questi a comprare un paio di libri, presentandosi, fingendo di essere per caso in vacanza sulla riviera di Ponente, pretendendo di ignorare che il libraio medesimo fosse in giuria, magnificando la bellezza del suo invece oscuro negozietto o della sua deprimente bancarella e tessendone le lodi, sostenendo d'esser arrivato lì su suggerimento di amici locali che tanto gliel'avevano raccomandato, dichiarandosi infine entusiasta di aver ascoltato il consiglio di codesti amici. Invenzioni, ovviamente. I libri che comprava tra l'altro erano sempre suoi – "per un regalo, che io le mie copie le ho terminate" mentiva – così almeno rientrava dell'euro o poco più che la casa editrice gli avrebbe pagato in diritti d'autore. Invio dei messaggi WhatsApp a Elena e Fanny, questa mattina non si erano ancora alzate, beate loro e i loro sonni tranquilli, quando sono uscita per prendere la Jaguar e andare all'aeroporto ho lasciato un biglietto dicendo che non sapevo per dove partivo ma partivo, ciao.

"Viaggetto: sono a Copenaghen," gli scrivo ora.

"Torno quando torno," gli scrivo ancora. E poi:

"Allora, teniamo fisso l'uomo da 1,0 Cùlec in finale con *La porcona e il camposanto*".

Metto anche una faccina che sorride, anzi due, crepi l'avarizia, mi piacciono le faccine, voglio che di un messaggio si capisca il tono con cui lo scrivo, voglio che le mie amiche sentano che sto parlando loro con serenità e bonomia, non voglio equivoci, detesto i rancori per una parola interpretata male.

"Che ne direste se il secondo finalista fosse quel cretino del Giorgio Nembro?"

Faccina di diavoletto. Faccina con l'aureola.

"Il mio ex marito, sì. Con il suo insostenibile *L'odissea di Bernard Kaboré*."

Poso il telefono sul tavolino, ci riappoggio anche i piedi, sorseggio un altro flûte di Dom Perignon osservando un battello inghirlandato di lampadine colorate che bordeggia lento nel braccio di mare cittadino. Anche il sole, là in basso, sembra un po' blu. Voglio rileggere tutto Kureishi quando tornerò a Milano, poi tutto Coe, tutto Hornby, Barnes, Welsh, Hollinghurst, Dyer, la Fielding, tutto un ripasso dei begli anni novanta inglesi, un altro dei vantaggi della nuova casa è la biblioteca, le pareti sono tutte a scaffali in ciliegio su misura, dentro c'è la mia collezione di libri di una vita disposta in ordine alfabetico per autore dalla Gianna, Gianna che tra i denti mastica "tucc 'sti libar, la vardarà mai la televisiun?", ma poi si preoccupa di risistemare al loro posto i volumi che io, Elena, Fanny ogni tanto andiamo a consultare e lasciamo sul gran tavolo al centro della biblioteca, di ciliegio massiccio pure lui. I Kureishi ci sono e adesso so anche dove, non come prima, a Vigevano, nel mio appartamentino dove i libri si accumulavano senza ordine dappertutto e ogni volta cercarne uno era un'impresa, quelli appena acquistati sparivano, mi dimenticavo di averli presi, li ricompravo, non li leggevo, li perdevo di nuovo.

Messaggino WhatsApp in entrata.

"Sì che siamo d'accordo." È Fanny, e mi scalda il cuore sapere che sui due cretini del premio c'è sintonia con le mie amiche. Ora arriva anche questa foto: si intravvedono Fanny ed Elena, dal seno in su, nude al sole sulle sdraio, con alle spalle la grande finestra panoramica che, dall'ufficio di Kostanza, s'affaccia sul giardino. C'è quello scaldabagno ambulante del Castagnèr, alias El Panteròn, con i palmi delle mani e il bacino appoggiati alla vetrata, la capigliatura tinta di biondo accuratamente disordinata, la bocca aperta in una 'o' di sorpresa. Dietro El Panteròn, fuori fuoco, s'intravvede pure Kostanza, in una posa meccanica, diritta, rigida, come se si fosse meticolosamente infilata, fino in fondo, un'intera scopa nel sedere. Scoppio a ridere. Ma sì, mi verso altro champagne, guardo un po' di blu, c'è tempo, dopo chiamerò.

Il signor Daniele Castagnèr, mi spiega la mia segretaria, quando infine le telefono, a quanto pare ha preso un albergo in zona, il Carrobbio, al limite delle Cinque Vie – un quattro stelle intorno ai cento euro a notte, se non ricordo male – perché impressionato dalla bellezza del quartiere che non conosceva nonostante le sue numerose visite a Milano, quartiere che ora intende perlustrare. Naturalmente si tratta di frottole come quelle rifilate ai librai del premio Scaffaletto, non a caso è tornato questa mattina nell'ufficio di Kostanza a raccontare la sua storiella e dare il recapito dell'hotel, un bigliettino dietro cui ha scarabocchiato pure il proprio cellulare, lasciando cadere che insiste: se vi fosse occasione, anche per un breve istante, un tè, un caffè, una tartina, ma anche solo una stretta di mano, lui, con la massima discrezione, mantenendo intatto l'anonimato dei suoi interlocutori, ci terrebbe alquanto a ringraziare il comitato scientifico per un premio come il Brivio, un'iniziativa bella e inedita, stando alle sue parole riportate da Kostanza, "nel tristo panorama della leteratura italiana".

"E anche a conoscere la giuria dei lettori," aggiunge Kostanza, con una risatina. "Il signor Castagnèr si è dichiarato disponibile a, nell'ordine, cito: 'una letura pubblica, un incontro informale, ma anco un'esegesi del mio testo dal titolo un pocolìno, lo ammetto, provocatorio, *La porcona e il camposanto*'. Tutto ciò, ha sostenuto, a favore di una miglior comprensione di un libro e, cito di nuovo, 'un pocolìno criptico, efetivamente, la mia bella signorina'."

"Una sola effe e una sola ti?" chiedo.

"Una," conferma Kostanza, tornata immediatamente seria. "Infine mi ha chiesto se le due 'signore nel giardino care e belisime', una sola elle e una sola esse, fossero coinvolte nel premio."

"Immaginavo. E tu?"

"Io ho risposto che sono tenuta a mantenere il più rigoroso riserbo."

"Già," sospiro. "Non potevi dirgli semplicemente di no?"

Kostanza tace. Qualche volta la sua inflessibilità svizzera mi dà sui nervi, è incapace di mentire. Ha proprio un blocco, un freno biologico, magari si tratta di un osso, un'articolazione, come le braccia che non possono piegarsi all'indietro sui gomiti. Sospiro di nuovo.

"Così ora sa benissimo che invece sì."

Kostanza continua a tacere, c'è rimasta male.

"Ma non importa, cara, dai. Hai seguito correttamente le linee guida, dunque bene così."

Kostanza ora si schiarisce la voce e nel suo lieve rugginoso raschiare distinguo un chiaro tono di soddisfazione. Quando tiro in ballo le linee guida la sua natura elvetica le manda in circolo endorfine.

"Inoltre," aggiunge rinfrancata, "dopo la visita che le ho descritto e che si è svolta oggi, alle ore 11 del mattino, dopo aver pranzato in villa con le signore Fanny ed Elena, prima di riprendere alle ore 15, sono uscita per un caffè al chiosco in piazza Mentana. Mi sono accomodata a un tavolino e dopo pochi istanti è arrivato il signor Castagnèr e si è seduto con me, pur non invitato. Sospetto che mi abbia attesa nei dintorni della villa e seguita."

"Sei uscita dal portone di via Saterna?"

Kostanza fa una pausa. Vuol dire senso di colpa.

"Sì," ammette. Il che significa che El Panteròn adesso sa anche che ufficio e villa sono collegati, appartengono allo stesso proprietario, verosimilmente all'essere o ente che organizza il premio.

"Vabbè, Kostanza, mica è colpa tua. Che ne potevi sapere che si era appostato."

Kostanza tace ancora. Vuol dire senso di colpa che esplode, vuol dire sospetto di aver recato danno al proprio datore di lavoro.

"Almeno ha offerto lui il caffè?"

Così dico, allegramente, per toglierla dall'imbarazzo in cui è precipitata.

"In realtà a fronte del silenzio che ho opposto a ogni sua domanda e tentativo di conversazione, il signor Castagnèr ha lasciato ottanta centesimi sul tavolino e se n'è andato profferendo una frase incomprensibile in vernacolo, credo vicentino."

"Ottanta centesimi?"

"Ottanta. Evidentemente, ho immaginato, si tratta del prezzo della tazzina di caffè ancora praticato in determinate comunità rurali del Veneto. Ho dovuto aggiungere io la differenza. Inoltre…"

Le sfugge qualcosa che somiglia a un nitrito.

"Inoltre, Kostanza?"

"Inoltre dopo aver versato nel caffè mezza bustina di zucchero e aver scrupolosamente mescolato, il signor Castagnèr ha prima ripiegato e infilato in tasca la mezza bustina residua, poi ha forbito il cucchiaino con la lingua e ha infilato in tasca pure quello."

Scoppio in una risata. Anche Kostanza lo fa, un evento talmente raro sentirla ridere così di gusto, sentirla anzi sghignazzare, che continuo a farlo pure io, che continuiamo insieme e per qualche istante siamo due ragazzine in ipossia da risate. Evidentemente per la mia impiegata le piccolezze di chi è affetto da spilorceria sono irresistibili. Avrebbe dovuto conoscere Giorgio, sarebbe stata una risata continua. O forse Giorgio avrebbe dovuto conoscerlo El Panteròn, sarebbe stata un'alleanza perfetta, anzi al prossimo Brivio mi sa che l'alleanza si concretizzerà, intascheranno di comune accordo gli stecchini per le olive, le olive medesime, forse pure posate e bicchieri, quante figure spaventose mi ha fatto fare mio marito in trattoria chiedendo ogni volta una brocca d'acqua del rubinetto perché la minerale è un furto, sosteneva, e in Francia e in America, poi, in tutti i ristoranti si fa così. Detestavo quella sua piccineria, tanto che poi, apposta, ordinavo la bottiglia di vino più cara della lista, io che avara non lo sono stata mai e adesso grazie al cavolo, tantomeno. A proposito: cosa posso fare di bello col portafoglio gonfio, qui a Copenaghen, senza affrontare la fatica di uscire?

Sdraiata sul lettino, supina, tengo gli occhi spalancati, fissi sui coni di luce calda che le lampade a fotodiodi proiettano discrete sulla parte superiore del muro, coni che prendono una piega brusca là dove incontrano il soffitto per poi allargarsi fino a svanire in una zona centrale riposante, scura. È tarda sera e, se sapesse, il mondo riderebbe di me. Un uomo tarchiato con torso e braccia muscolose, un uomo con il collo massiccio del giocatore di rugby, un uomo con addominali che la maglietta grigia, elastica, aderente, non può nascondere, un uomo con un sedere così sodo e tondo e aggraziato, sotto la tuta da apparire quasi femminile, un uomo, diciamola tutta, estremamente attraente e dall'apparente età di soli trent'anni, un uomo dalla pelle scura, aggiungerò, anzi nera, un uomo che dalle mie non trascurabili precedenti esperienze nel campo posso assegnare senza tema a origini nigeriane, uno che si è presentato come Marvin con una voce altrettanto sensuale e vibrante di quella del suo omonimo Gaye, Marvin Gaye, non a caso quello di *Sexual Healing*, un tale di questo genere si sta ora prodigando sul mio corpo dopo averlo unto d'olio profumato, con un massaggio che il dépliant dell'hotel Marriott definisce "tradizionale" e "integrale". La risata che dovrei scatenare nel mondo viene dal fatto che, vedendo entrare Marvin, anziché rinchiudermi nel contegno che converrebbe a una signora della mia età, ho aperto l'accappatoio, l'ho lasciato scivolare ai miei piedi e poi, per un impulso che mi è venuto spontaneo, direi quasi intrascendibile, ho calato anche gli slip. Tanto che ora, sotto le mani del massaggiatore nero, giaccio completamente nuda.

Questo massaggio mi costa, in corone, un totale pari a mille e cento euro. D'altronde il prezzo di listino, per un'ora, sarebbe stato duecento e ho dovuto insistere particolarmente con il concierge, e promettergli un pourboire di duemila corone, quasi trecento euro, affinché telefonasse a uno dei massaggiatori del centro benessere del Marriott per sentire quanto gli occorresse di extra per elargirmi un massaggio fuori orario. Sono le dieci e trenta, il sole è appena ufficialmente tramontato e gli ulteriori seicento e passa euro in corone sono il compenso aggiuntivo che ha chiesto il massaggiatore, come mi ha comunicato il concierge richiamandomi solerte dopo cinque minuti. Non ho battuto ciglio. Voi battereste ciglio per sei centesimi, se il vostro stipendio fosse, mettiamo, di tremila euro al mese? El Panteròn o mio marito Giorgio magari sì, ma io, dai, proprio no. Forse è questo, forse è l'esborso comunque assurdo su scala assoluta, forse è il senso di dominio diretto che ti dà comprare consapevolmente a un prezzo fuori mercato, insomma il sommergere di soldi il tuo venditore, che mi hanno fatta togliere accappatoio e mutande, come se con i seicento di extra avessi pagato anche il disgusto e l'imbarazzo di Marvin. Che comunque non ha battuto ciglio, angelo, mi ha fatta sdraiare, si è riempito le mani d'olio, ha iniziato a massaggiare come se le mie parti intime fossero opportunamente coperte, non en plein air. O forse mi ha spinta pure il desiderio proibito di farmi toccare dalle mani di un uomo del genere con cui vent'anni fa probabilmente mi sarei invece divertita in tutt'altro modo? Ora sono rugosa, la pelle cosparsa di macchie ed efelidi, il seno sgonfio, sulla gamba sinistra ho una vena varicosa, le dita dei piedi sono nocchiute, callose, l'alluce valgo, le braccia tutte un remboursé, ho una prugna secca anziché una farfallina, e peraltro il desiderio, l'impulso irresistibile, l'ho salutato da cinque anni almeno. Dunque cosa mai potevo pensare? E cosa posso pretendere da Marvin ora?

Lui in ogni caso è qui sopra, lavora, massaggia, lo guardo, mi restituisce lo sguardo, sorride. Marvin non trascura alcuna zona, per esempio il seno, in nessuna zona tuttavia le sue mani si soffermano per un tempo più lungo di quello necessario a impartire un massaggio tecnicamente ineccepibile, né mai un tempo sufficiente a sollevare equivoci.

"Turn on your abdomen, milady," dice Marvin, con una voce così compiutamente da cantante soul che mi fa dimenticare anche il sottofondo della sala massaggi, musica classica del tardo ottocento. Mi giro sulla pancia come lui vuole e nel girarmi, poiché lo faccio rivolgendo il viso nella direzione del masseur, noto che Marvin tenta di dissimulare sotto i pantaloni un'inequivocabile erezione.

Possibile? Che senso ha?

E qui, sulla pancia, con il viso adagiato nell'oblò vuoto al centro del poggiatesta, con lo sguardo sul bel marmo bianco del pavimento e il morbido tappeto color crema, qui, senza alcuna possibilità di incrociare lo sguardo di Marvin e dunque dentro un bozzolo di isolamento, intimità, sogno e follia, poiché sento le sue mani soffermarsi ora sì più a lungo del dovuto sul mio sedere, il mio ex florido sedere che le volte che oso guardarlo allo specchio mi ritrovo a pensare che somigli a un sacchetto per l'umido contenente due pompelmi di modeste dimensioni, e poiché sento quelle mani indugiare proprio lì, faccio un esperimento: sollevo di un poco il medesimo sedere, divarico di un altro poco le gambe e sì, quella che sento è davvero la mano di Marvin che insiste sulla mia parte più intima, la unge d'olio, la apre e zac, ci infila dentro due dita. "Marvin, ma che cazzo!" guaisco, e mi sfilo. Poi balzo in piedi, mi copro con l'accappatoio, prendo la borsa, consegno i seicento euro all'esterrefatto massaggiatore che afferra con la sinistra e rimane con le due dita della destra invece puntate in aria, come quando da bambini si mima una rivoltella pronta a sparare. Gli sorrido con gratitudine, sì, estrema gratitudine, ma scappo via.

Poco dopo, sull'ascensore privato che sale alla mia suite, penso che in effetti avrei potuto restare, continuare, anzi forse invitare Marvin a salire in camera pure lui, non per soddisfare alcun desiderio, no, purtroppo niente impulso irresistibile nemmeno al momento delle due dita, spiacente, penso però che avrei potuto invitarlo per vedere cosa sarebbe successo, per sapere come sarebbe andata a finire, per aver qualcosa da prendere e scrivere furiosamente eventualmente questa notte stessa, inventandoci sopra il romanzo che da anni né parte né arriva, trovare dunque lo stimolo non certo per il sesso ma per la voglia di scrivere. Invece niente. Niente, perché quando arrivo al piano della suite esco dall'ascensore, entro in camera, non ridiscendo al centro benessere, allo stesso modo in cui quando vado a Vigevano, di notte, a spiare mia figlia e mio marito, lungo via Lorenteggio non mi fermo nei bar brutti e sterminati oltre la cerchia delle circonvallazioni per dar seguito agli sguardi torvi degli arabi, dei macedoni, dei cinesi. Perché io sono così. Forse inadeguata a vivere una vita più grande di me come potrei invece benissimo permettermi di fare, forse solo provinciale per sempre, o forse con un blocco, un'articolazione, un osso simile a quello di Kostanza per le menzogne. Un gomito della coscienza che mi impedisce di piegare l'anima all'indietro e abbandonarmi, eccedere, strafare.

4.
Il numero perfetto

Che anni fa, poi, invece…

Io e Giorgio ci siamo conosciuti nel modo più banale e sorpassato che si possa immaginare, in corriera sulla tratta Vigevano-Pavia quando ancora studiavamo in università. Lui faceva lettere moderne, io medicina, Giorgio ha un paio d'anni più di me, era al terzo anno quando io ero al primo, il quarto quand'ero al secondo, poi si è laureato con lode e una tesi sul periodo rizzoliano di Lucio Mastronardi, io invece ho smesso. Giorgio da ragazzo non era male, evidentemente basso com'è basso adesso, gli ho sempre dato cinque centimetri buoni, però era asciutto, aggraziato, i capelli scuri ondulati ribelli sulla fronte e le basette folte, la pelle liscia, diafana, il viso imberbe affilato, più da francese che da lombardo, anche il portamento era francese, francesi pure i cappotti attillati, le giacche di fustagno, i maglioncini, le camicie, lasciatemi dire che Giorgio da ragazzo somigliava un po' ad Alain Delon genere *Frank Costello faccia d'angelo*, ecco, peccato solo la tirchieria, le figuracce per l'acqua minerale, i taccuini con l'elenco dettagliato delle spese comuni durante le gite con gli amici, peccato sì, ma per il resto davvero un tipo niente male. Quando si è laureato l'han preso subito a insegnare al liceo classico di Vigevano, posto fisso, stipendio non alto ma impegno di tempo contenuto, io invece con medicina stentavo, non mi piaceva, per questo ho smesso, avere a che fare con i malati, il sangue, le pustole, per carità, non faceva per me, proprio non ci riuscivo. Avrei voluto studiare fisica, non medicina. Ho fatto lo scientifico, in matematica ero la migliore, ma per le ragazze di Vigevano all'epoca, anni settanta, decideva il padre, o perlomeno nelle famiglie piccoloborghesi come la nostra andava ancora così. Mio padre era un perito chimico che faceva avanti e indietro tutti i giorni con Milano, dove dirigeva il laboratorio di una piccola industria farmaceutica. Mio padre pensava che la fisica fosse astrusa, cervellotica e non portasse a niente, di certo non a un buon lavoro, chimica magari invece sì però era materia da uomini, mica da femmine, e matematica poi non parliamone, che lavoro faceva uno laureato in matematica, al massimo l'insegnante di scuola come Giorgio. Mio padre lo detestava proprio, Giorgio, figurati, un laureato in lettere, sarà una laurea, adesso, lettere? Così sosteneva il mio escrementizio genitore, pur dalla sua posizione terra-terra di diplomato all'Itis, e masticava amaro, poi rideva, poi sempre aggiungeva, come per chiudere la questione:

"Dè, al sarà mia un po' urègia al to' Giorgio?". Cioè sarà mica un po' orecchia, omosessuale, il tuo Giorgio, chiedeva odiosamente, anche se col senno di poi in effetti su questo non è che sbagliasse troppo. Così col Giorgio un po' francese e un po' urègia ci siamo sposati subito apposta, per fare dispetto a quel becero presuntuoso di mio padre, per andarmene da casa dei miei, per non essere più costretta a vedere mia madre incapace di una parola di sostegno nei miei confronti, incapace di contraddire il marito, incapace di esprimere anche solo un'opinione o un desiderio purchessia, salvo forse nelle quotidiane preghiere rivolte al cielo dai banchi della chiesa. Dunque ci siamo sposati appena dopo che Giorgio si era laureato, aveva trovato lavoro, e aveva trovato anche l'appartamento nel condominietto di via dei Mulini a un affitto da niente, duecentomila lire al mese, stiamo parlando del millenovecentottanta, era ragionevole financo per lui.

Avevo ventidue anni, Giorgio ventiquattro, cominciava il decennio edonista e a noi non dispiaceva. Perché né a me né a mio marito importava qualcosa della politica totale, mal sopportavamo chi occupava le aule in università, avevamo detestato gli scioperi forzati con i picchetti fuori da scuola, ci avevano fatto morire dal ridere le assemblee con i nostri compagni figli di imprenditori traboccanti di autostima e infoiati per un proletariato cui non appartenevano. Nel nostro appartamentino cambiavamo canale quando in tv parlavano di autonomi, scioperi, occupazioni, piuttosto mettevamo sulla Svizzera. Perché noi eravamo di Vigevano, avevamo studiato a Pavia, e le fabbriche, i tribunali, i rapimenti, persino le stazioni con le bombe erano un altro mondo, non il nostro, che era fatto invece di libri, dischi, gelati, angurie, risaie. A noi piaceva mangiare pesce fritto nelle trattorie sui gradoni che dalla città declinano verso il Ticino, a noi piaceva sederci per una coppa di gelato al Caffè Commercio di piazza Ducale. Sabato e domenica visitavamo le mostre d'arte a Milano, in settimana andavamo ai cineforum del Corallo a Pavia. Oppure ancora, e questa era la cosa che più di ogni altra ci piaceva e confaceva a Giorgio, ché si risparmiava, restavamo a casa a leggere. La nostra piccola, cara casa di via dei Mulini, noi due sul divano, i piedi dell'una sotto le gambe dell'altro, a tarda notte, finalmente silenti i televisori delle famiglie Balduzzi, Tiraboschi, Gallina, magari con in sottofondo un disco bassissimo noi leggevamo, leggevamo, e leggevamo. Erano anni così diversi da oggi dove c'è di tutto, dove puoi trovare libri inglesi, finlandesi, senegalesi, indiani, italiani, di ogni stile, genere, pensiero. Erano anni in cui o leggevi i nuovi romanzi di Soldati, Levi, Sciascia, Morante, i vecchi autori che erano diventati di massa negli anni sessanta, oppure leggevi e rileggevi i sudamericani allo sfinimento. Come alternativa ti restavano gli americani moderni già diventati classici come Hemingway, Fitzgerald, Steinbeck, Kerouac, se proprio eri avantissimo magari anche Norman Mailer e Gore Vidal, ovviamente senza mancare Salinger. Perché se invece leggevi i nuovi italiani contemporanei ti imbesuivi di noia su mattoni deleteri come *Vogliamo tutto* di Nanni Balestrini o *Horcynus Orca* di Stefano D'Arrigo.

Così quando nell'ottanta era arrivato Pier Vittorio Tondelli ce n'eravamo innamorati. E ci eravamo innamorati anche degli scrittori di cui si era messo a raccontare su "Rockstar", in quella paginetta che si intitolava "Culture Club", gli americani nuovi come David Leavitt, Jay McInerney, Tama Yanowitz, Bret Easton Ellis, e quelli meno nuovi ma qui non ancora canonizzati come Hubert Selby Jr o James Baldwyn. Soprattutto Baldwyn. Giorgio stravedeva per Baldwyn. Giorgio aveva divorato romanzi come *La camera di Giovanni*, *Dimmi da quando è partito il treno*, *Un altro mondo*. Baldwyn era uno scrittore nero, omosessuale, che raccontava di omosessuali, neri: mio marito ci andava a nozze. Il caro Giorgio. Di cui, se devo dire la verità, la cosa che mi piaceva di più non era il corpo asciutto, il portamento francese, il volto con gli zigomi alla Delon, ma il cazzo.

Posso confessare questa semplice, materiale predilezione? È concesso a una donna posata, sessantenne, ricca, ben vestita, colta, non ultimo scrittrice, ammettere che da giovane era molto interessata al cazzo? A uno in particolare, intendo, non è che andassi in giro a interessarmi di cazzi a destra e a sinistra, a uno in particolare e alla sua forma più che alle dimensioni, dunque alla sua curvatura aggraziata, al suo straripante turgore, ai gentili contrasti di colore tra le diverse parti. Posso dirlo o no? Almeno questa libertà sarà rimasta a chi riempie le pagine di un libro, o sbaglio? Noi scrittori nei nostri libri dovremmo essere autorizzati a dire tutto, per esempio anche che il coso, lì, insomma il cazzo, e pure tutto il resto delle attrezzature prestabili al reciproco piacere di cui è dotato qualunque essere umano, il caro Giorgio lo sapeva utilizzare benissimo. Tra il 1978, anno in cui spendemmo il primo pomeriggio di sesso nel pur lugubre motel Chattanooga nei pressi di Mortara, e il 1988, nostro anno erotico pivotale, io e Giorgio avevamo mantenuto ritmi d'accoppiamento che altri avrebbero giudicato bestiali, cioè pressoché quotidiani, ogni volta con orgasmi multipli per me, almeno quattro, e almeno un paio invece per lui. Avete presente le coppie felici con la famosa luce negli occhi che significa che tra loro corre il sesso migliore del mondo? Quando leggo questa cosa nei romanzi la trovo sempre un trito luogo comune, un'inverosimile scivolata verso una mistica ruffiana a base di anime luminose, comunione con l'universo, forza dell'amore, eppure, guardando le rare foto dell'epoca che ci ritraggono entrambi, quella luce io la vedo davvero oggi ancora. Giorgio non solo usava bene il coso, lì, e tutto il resto, Giorgio usava bene anche le parole. Parole che, stando ancora alla mistica ruffiana di cui sopra, erano come vento che soffiava, fischiava, e in un turbine mi sollevava verso un altro mondo, quello dell'erotismo dell'immaginazione. Sono state mille le storie che subito aveva cominciato a inventarsi e che mi sussurrava all'orecchio mentre lo facevamo. Eravamo sposati, no? Eravamo giovani, aperti al mondo, ci sentivamo degli anticonformisti che leggevano Tondelli, Palandri, "Il Male", "Frigidaire", "Cannibale", assieme irridevamo l'ossessione per il decoro democristiano vigevanese, cui tanto somigliava il decoro dei comunisti da sezione, e anche se in fondo non eravamo altro che dei semplici piccoloborghesi, anche parecchio provinciali, a letto ci divertivamo con fantasie degne del miglior jet set internazionale.

Lui mi interrogava, io rispondevo. Lui inventava, io lo seguivo.

"Qual è la cosa più strana che hai fatto?" mi aveva chiesto un giorno, nudi sul letto di casa, dopo innumerevoli orgasmi, mentre di là suonava un disco di Joe Jackson. Ricordo bene che lui era supino, io prona, e che giocherellavo con il suo ombelico. Il coso, lì, era tranquillo, sgonfio, a riposo.

"La cosa più strana? Dici nel sesso?"

"No, nell'ambito delle passeggiate salutistiche su sentieri panoramici."

Avevo ridacchiato. Dopo una serie di orgasmi ero sempre così in alto nel cielo che persino l'umorismo farraginoso del caro Giorgio poteva funzionare.

"Ti dirò: la cosa più strana che ho fatto, nel sesso, è successa proprio durante una passeggiata salutistica su un sentiero panoramico."

"Scema."

"Ma no, davvero. In montagna, a Macugnaga. Ero in vacanza con i miei in albergo, avevamo fatto una gita con due famiglie che avevano figli della mia età, e tornando io e due dei ragazzi eravamo rimasti indietro sul sentiero."

"Apposta?"

"Sì, apposta, ma senza altre intenzioni. Così, solo per restare tra noi, da ragazzi si fa sempre, no? Si fa gruppo, ci si stacca dai genitori."

Giorgio aveva alzato le spalle.

"E? Avete messo su un triangolo?"

"Sì."

Si era girato di scatto verso di me.

"Ma cosa dici?"

"Che lo abbiamo fatto."

"Un triangolo? Tu e due ragazzi?"

Io avevo ancora la mano sul suo ombelico. Quando gli avevo detto sì, proprio io e due ragazzi, il suo coso, lì, nel giro di pochi istanti era balzato su, sfiorando il mio polso nel pieno del suo già citato, plastico turgore. Rifilandogli delle scherzose, delicate schicchere, avevo spiattellato il resto, cioè avevo raccontato di uno dei due ragazzi che la sera prima mi aveva baciata nella tavernetta dell'hotel; dell'altro che mentre passeggiavamo per il sentiero diceva di non credere che quel bacio l'avessimo davvero scambiato; dunque di costui che, per comprovarlo, mi aveva chiesto di ripetere il bacio con l'amico davanti a lui. Avevo raccontato a Giorgio anche che poi, quando avevo raccolto la sfida e baciato il suo amico, il ragazzo che s'era mostrato scettico se n'era subito uscito con un prevedibile "ma come, e a me niente?" e io allora avevo baciato anche lui. Che m'importava? Avevo quindici anni e loro sedici, negli anni settanta si faceva così, non ci si pensava, se parliamo di sesso tra ragazzi a quell'età era normale fare piccole sciocchezze d'impulso come questa, e il suo amico che avevo baciato la sera prima in ogni caso non se l'era affatto presa, anzi aveva sogghignato. Avevo raccontato anche questo a Giorgio. E adesso, anno duemiladiciotto, primavera, mentre atterrata da poco a Malpensa dopo tre giorni a Copenaghen e aereo in notevole ritardo sto rientrando lemme lemme in Jaguar a Milano, ricordo ancora con precisione anche il mugolio estatico di Giorgio in quella notte di trent'anni fa, quando avevo pure ipotizzato che tra i due ragazzi potesse esserci un accordo, una complicità pregressa, forse addirittura un sotterraneo intimo legame. Mio marito aveva perso la testa.

"E avete fatto altro, eh? Vero che avete fatto altro?" aveva nuovamente mugolato, incalzandomi con quella sua voce strozzata e roca che gli veniva quando era eccitato come un caprone.

"Certo che abbiamo fatto altro. Pensi che sia tutta qui la cosa più strana che ho fatto nel sesso?"

"Vi siete spogliati? Si sono spogliati?"

Sì che mi ero spogliata, perlomeno mi ero tolta la maglietta e non portavo il reggiseno. Pure loro due si erano tolti la maglietta, e poiché si andava avanti a baciarsi a quel modo, mezzi spogliati, dal sentiero si era passati opportunamente al bosco e alla protezione dei suoi cespugli, dove i due ragazzi si erano calati i pantaloni con un movimento sincronizzato, rimanendo così a sventolare il proprio ferreo alzabandiera verso le cime dei larici.

Giorgio ululava.

"E poi cosa, cosa d'altro? Li hai toccati, li hai…" mi aveva incalzata, domandandomi di una serie di pratiche tanto ovvie quanto irriferibili e che, in piccola parte, peraltro la più prevedibile per degli adolescenti, avevo in effetti messo in opera sui due amici.

"Cioè gliel'hai fatto in contemporanea? Insieme?"

Sì, insieme, avevo spiegato a Giorgio, che, come avrei trovato conferma negli anni a venire, dal parallelismo, dalla contemporaneità, dall'azione simultanea di due uomini o su due uomini, era affascinato in un modo che non sapeva trascendere: lo avevo avvertito dalla pressione esercitata dal suo coso, lì, stretto tra le mie dita. Quando poi avevo aggiunto che i due ragazzi, come se fosse consolidata abitudine, avevano rimosso le mie mani per sostituirvi le proprie in uno scambio di attenzioni reciproche, Giorgio aveva guaito e, come in un quadro di Francis Bacon che avevamo appena visto a Venezia, *Jet of Water*, aveva finito con un arco liquido che aveva attraversato la mia intera visuale.

Il concetto di triangolo, o meglio di rapporto a tre o threesome, come Giorgio avrebbe preso a chiamarlo con cosmopolita disinvoltura qualche anno dopo, da allora era diventato protagonista delle storie di fantasia che mio marito mi sussurrava all'orecchio nei nostri giochetti. Immaginarmi nelle fantasie di Giorgio insieme a lui e a un altro uomo era stato un passo che non mi era dispiaciuto, anzi era divertente dargli corda, lasciarsi andare, aggiungere particolari, poi chiedergli di sviluppare i miei particolari in fantasie ancora più complesse. Era divertente quanto inventarsi la trama di un film, quanto scrivere un racconto, proprio come in quegli anni sia io che lui avevamo cominciato a fare, e per carità vietato scandalizzarsi, vietato pensare d'essere perversi, malati, quelli erano solo giochetti mentali, pensieri possibili come tanti altri, perché di fatto eravamo o non eravamo semplicemente aperti, liberi, anticonformisti come i personaggi dei libri che leggevamo e dei racconti che scrivevamo? Così quando Giorgio aveva introdotto l'elemento omosessuale – io, lui, un terzo uomo con cui praticava con la mia assistenza le più svariate cose – mi era parso un ingrediente inedito, sorprendente, ed ero rimasta anzi ammirata per l'ulteriore anticonformismo dimostrato dal mio caro marito, cioè il coraggio di ammettere pulsioni che ancora alla generazione di mio padre facevano tirar fuori sfottò volgari come urègia, cü alegher, büsnàc. Quando poi il terzo uomo aveva assunto le caratteristiche esotiche di un uomo di pelle nera, o negro come diceva Giorgio, ironizzando apposta alla faccia del nascente politically correct, era il 1988 e avevamo appena iniziato a frequentare la pizzeria Panarea di corso Genova.

Sono le otto, entrando a Milano da viale De Gasperi trovo coda anche se a quest'ora non dovrebbe esserci, poi passo sotto un cavalcavia e c'è un incidente, ecco perché, un'auto ha tamponato quella che la precedeva, ci sono frammenti dei fanali e degli stop per tutta la strada. Nessuno si è fatto male, i danni sembrano trascurabili, ma i due automobilisti sono scesi, litigano, e tutti rallentano per vedere se magari vola qualche sberla, per guardare famelici due cinquantenni che s'azzuffano, che si strappano la giacca, si prendono per la cravatta. L'auto davanti alla mia inchioda, l'autista abbassa il finestrino per godersi meglio la zuffa, ma dico io con che faccia, però senza dire una parola, mi raccomando, senza neanche sognarsi di scendere a dividerli. Io sono costretta a fermarmi, chino la testa, mi copro gli occhi con una mano, non voglio vedere, alzo la musica, non voglio nemmeno sentire. Volo fino a Copenaghen per sfuggire all'angoscia, scendo in un cinque stelle, pago una fortuna per un massaggiatore che si rivela uno schianto e pure intraprendente, passo altri giorni freddi ma sereni nella primavera danese a mangiare, bere, leggere, girare per musei e adesso mi tocca questa miseria qui? Due milioni di euro al mese non dovrebbero tenermi lontana dalla brutta gente che popola il mondo? L'egiziano che abitava nell'appartamento confinante con il mio, a Vigevano, picchiava la moglie. Attraverso la parete sentivo lei che lo implorava, sentivo i bambini che piangevano terrorizzati, vedevo lo zigomo spaccato il giorno dopo quando quella povera donna si affacciava a stendere i panni al balconcino sul retro, vedevo la fronte escoriata nascosta a stento dal velo, ho provato anche a segnalare quell'orrore ai carabinieri, mi hanno detto signora è sicura, guardi che allora dovremmo fare denuncia, è una cosa seria, non sarà solo una sua impressione? Era lo stesso egiziano che aveva il parente che voleva sistemare nel mio appartamento, e il giorno dopo che sono andata dai carabinieri, non so come abbia fatto a saperlo ma l'ha saputo, mi ha minacciata sul pianerottolo. Non mi ha toccata ma mi ha minacciata, la sua fronte a un centimetro dalla mia, le sue gocce di saliva che mi schizzavano in faccia mentre mi urlava contro, l'alito mefitico, agliaceo, la lunga barba che vibrava di sdegno, l'indice e il pollice che formavano un cerchio mentre la mano destra ritmava su e giù gli ordini che mi impartiva, gli ordini di farmi gli affari miei, di stare lontano dai suoi, di preoccuparmi della mia salute, delle mie ossa, del mio culo.

Con i soldi che ho ora, non potrei pagarmi un bruto che lo possa pestare? Un mazzuolatore prezzolato per lui e per tutti gli altri che tengono in scacco mogli, figlie, sorelle, vicine di casa? Un Batman di pronto intervento contro le violenze sulle donne da parte di uomini con la fronte alta un centimetro e l'alito pestilenziale? Dietro di me suonano il clacson, spalanco gli occhi, ci sono cento metri di strada libera, l'auto che mi si era fermata davanti è ripartita da un pezzo, alzo la mano per chiedere scusa, riparto anch'io. L'ultima cosa che vedo, poiché non riesco a evitare di lanciare uno sguardo sui due gentiluomini che si accapigliano, è un giovane dalla pelle nera che li sovrasta per una buona spanna d'altezza, le spalle larghe da lottatore senegalese, un giovane che si prodiga per calmare gli animi, separare i due contendenti, riportare la pace in terra, o quanto meno in viale Alcide De Gasperi, periferia nord-ovest di Milano. Un giovane che, va da sé, mi ricorda Kobar.

La pizzeria Panarea in corso Genova a Vigevano era di proprietà di una giovane coppia calabrese, lui basso, scuro, taciturno, addetto al forno delle pizze, lei alla cassa, del genere acerba Valeria Golino, incinta di pochi mesi, con occhi nerissimi e un italiano claudicante. La giovane coppia era scorbutica, le pizze solamente passabili, le pareti ricoperte di perlinato bisunto. L'elemento che aveva fatto entusiasmare Giorgio per quell'oscuro buco di pizzeria era il cameriere, Kobar, un senegalese di trent'anni trasferito in Italia nel 1976. Qui aveva sempre lavorato nella ristorazione, a Dakar era lottatore professionista. Il fisico e l'altezza erano i medesimi del ragazzo pacificatore di viale De Gasperi, di certo altrettanto generoso d'animo e dispensatore di serenità, per il resto noioso come la morte ma, oggettivamente, bellissimo.

La prima volta che eravamo capitati alla Panarea era stato per caso. Camminavamo per Vigevano verso le otto una sera di giugno, l'aria calda però senza afa, il cielo azzurro, il sole pronto a tramontare. Eravamo appena stati alla presentazione di un libro in centro, alla libreria Novecento, che allora era di fianco alle scuderie del Castello Sforzesco. Era venuto Enrico Palandri a parlare di *Le pietre e il sale*, il suo secondo romanzo. Per rientrare a casa avevamo fatto il giro lungo per via Rossini e corso Genova, chiacchierando di Palandri, Tondelli, Piersanti, De Carlo, Busi, i nuovi autori delle rivitalizzate lettere italiane anni ottanta. Giorgio, che parlava a mitraglia con il dotto eloquio che gli competeva, che camminava con passo militare sulle sue gambette per starmi a fianco, Giorgio aveva avvistato Kobar sulla porta della pizzeria, appoggiato allo stipite, intento a fumare una sigaretta, ed era allibito. Si era immobilizzato, Giorgio. Le parole gli si erano fermate in gola mentre fissava quel marcantonio nero con un grembiulino allacciato intorno alle anche che, lui del tutto inconsapevole, ne evidenziava con estrema grazia lo straordinario sedere.

"Se desiderate cenare ci sono tavoli liberi," ci aveva detto Kobar, cortese, dalla soglia della Panarea, dato che Giorgio non smetteva di puntarlo dal marciapiede, tal quale un bracco con una pernice. Come obbedendo a un radiocomando mio marito aveva annuito.

"Sì," aveva detto. "Desideriamo."

Eravamo entrati, avevamo ordinato due pizze, io una quattro stagioni, Giorgio la meno costosa, una marinara, ma in più, incredibile, non aveva detto nulla sull'acqua minerale, mi aveva lasciato prendere una San Pellegrino, lui addirittura una birra. Ne aveva bevuto un terzo d'un fiato e aveva finalmente ritrovato la parola. In sala c'era solo un altro tavolo con tre clienti che stavano terminando di cenare, Kobar dunque aveva tutto il tempo del mondo da dedicare a noi. Mio marito aveva provato a farsi bello con scampoli di cultura senegalese e nel mentre a coinvolgerlo. Forte di qualche dispensa di letteratura africana studiata distrattamente in università gli aveva citato le poesie di Léopold Senghor, i film di Ousmane Sémbene, forte invece di qualche ascolto di Radio Popolare gli aveva menzionato anche le canzoni di Youssou N'Dour. Kobar aveva annuito grave col testone, aveva risposto "conosco, conosco", aveva risposto "l'ho già sentito", ma che conoscesse davvero Senghor, Sémbene, o anche solo Youssou N'Dour, e che, soprattutto, gli interessassero pur minimamente, è rimasto argomento mai chiarito, su cui ho sempre nutrito forti dubbi. Giorgio si sarebbe prodigato innumerevoli volte a contraddirmi stizzito, ma per me, le prime parole pronunciate dal nostro amico sulla soglia della pizzeria, "se desiderate cenare ci sono tavoli liberi", sono rimaste le sue più interessanti per tutti gli anni di frequentazioni a venire. Noioso come la morte, s'è detto, no? Ma oggettivamente bellissimo.

Dopo cena, ritornati a casa, anzi che dico, cominciando a baciarmi golosamente già sullo zerbino di casa mentre infilavo la chiave, Giorgio mi aveva trascinato in una interminabile notte di sesso ad alta energia, in cui l'ospite delle sue fantasie a tre era stato, come se ci fosse bisogno di dirlo, Kobar. Era stata anche la notte in cui, dopo il sesso, aveva utilizzato per la prima volta la nostra Polaroid per ritrarmi in alcune fotografie *nature*. Mentre le scattava, Giorgio, eccitato all'inverosimile, la voce strozzata, diceva:

"Sai a chi la faccio vedere, questa?".

"A Kobar?" rispondevo io, stando al gioco, fingendo persino di ragionarci su.

Giorgio mi ragliava epiteti irriferibili, mi affibbiava nomi di stereotipi femminili tipici della cosmologia erotica maschile, estasiato da quest'altra nuova fantasia mi faceva mettere supina, prona, le cosce divaricate, le cosce raccolte, in piedi, seduta, in equilibrio sulla testa con le gambe aperte a V e intanto scattava, e intanto ancora ragliava:

"E questa? E quest'altra?".

E io:

"Le fai vedere a Kobar".

Fuori com'ero dal vortice del sesso, stanca morta dopo l'interminabile presentazione di Palandri, la pizza, cinque orgasmi, desiderosa solo di dormire, mi sembrava un'idea talmente balzana e irrealizzabile che la cosa difficile era stata mantenere un tono serio, evitare di sembrare condiscendente o peggio di ridergli in faccia, dunque assecondare mio marito in virtù dell'aver compreso quanto, a lui, quella fantasia piacesse.

Eravamo tornati alla pizzeria Panarea la sera successiva, vi avevamo poi cenato svariate volte durante il periodo che, da giugno, ci aveva portati alle vacanze agostane. Un pomeriggio di luglio mi aveva assai sorpreso ascoltare Giorgio spiegarmi che era tornato a casa alle tre, nonostante avesse finito come al solito all'una con gli esami di maturità, perché si era fermato a mangiare alla Panarea e nel quieto, confidenziale dopopranzo di quel mercoledì qualunque aveva mostrato le Polaroid a Kobar. Ero arrossita. Penso di non essere mai diventata più rossa di così. Mi aveva fatto uno strano piacere, tuttavia, apprendere che a Kobar le foto erano molto piaciute. La prima cosa che mi era venuta in mente di chiedere a mio marito però era stata questa:

"A te non dispiace che un altro uomo veda tua moglie a quel modo?".

Giorgio mi aveva guardata con aria risentita: avevo detto una cosa piccoloborghese, mi aveva accusata, e aveva ragione, anzi avevo detto una cosa piccolissimoborghese, microborghese.

"Ma come puoi pensare una sciocchezza del genere," mi aveva redarguita. "Questo rimane sempre e solo un gioco tra noi due. Il negrone è solo un attrezzo mentale, un giocattolo che usiamo consapevolmente, dentro il nostro amore."

Su questa linea di pensiero aveva molto insistito quando, al rientro dalle vacanze, aveva preso a propormi che il negrone lo invitassimo a casa per conoscerci meglio. Poi, in novembre, al caldo dei caloriferi del nostro appartamentino, nel giorno di chiusura settimanale della pizzeria Panarea, mentre fuori nevicava fitto in largo anticipo sulla stagione, con il nero anzi negrone Kobar avremmo prima cenato, poi fatto il nostro primo threesome. Era Giorgio, erano le sue parole, era l'eloquenza con cui mi *dimostrava* che si trattava solo di una giostra in più nel parco giochi del nostro amore, che compivano il miracolo di far piegare all'indietro il gomito altrimenti ferreo della mia coscienza e finalmente eccedere, strafare.

5.

Il tradimento del garagista

Quando finalmente arrivo al garage di via Nerino sono le nove, è già buio, non ho ancora mangiato, ho una fame spaventosa. Lascio la Jaguar nella corsia d'ingresso, entro nel gabbiotto del garagista per consegnargli le chiavi, il garagista si offre di farmi accompagnare a casa dal ragazzo che occupa con lui il minuscolo ufficio, forse suo figlio, suo nipote, in ogni caso il giovanotto che ha l'incarico di parcheggiare o liberare le auto dei clienti in arrivo e in uscita. Lo guardo stranita, da qui a casa sono solo cinque minuti a piedi e lui lo sa. Comunque lo ringrazio, sorrido, declino l'offerta. Lui mi osserva riluttante, apre la bocca come per aggiungere qualcosa poi la richiude. È il ragazzo che insiste.

"Abbiamo una Smart per i clienti che abitano in zona. Ci sono delle signore che ci chiedono spesso di accompagnarle, di notte."

Ignoro il possibile doppio senso, metterei la mano sul fuoco che il ragazzo non ne avesse l'intenzione. Piuttosto lo guardo, guardo l'orologio, constato che sono sempre solo le nove, quanto a notte davvero un po' poco, in più non è affatto la prima volta che lascio qui l'automobile a quest'ora o anche più tardi e prima d'oggi non mi era mai stato offerto nulla.

"Grazie davvero, non serve," dico. Poi mi prende un sospetto: forse non utilizzo a sufficienza i servizi del garage? Io pago solo il canone del parcheggio, ottocento euro al mese, forse invece le signore della Milano-bene che abitano alle Cinque Vie aumentano d'abitudine gli introiti del garagista e del figlio, nipote, quello che è, facendosi scarrozzare qua e là, magari facendosi lavare la macchina, oppure facendosi lucidare gli interni in radica, chi lo sa, forse insomma questa non è un'offerta cavalleresca per non lasciare che una signora giri sola col buio per Milano, forse è una proposta di servizio taxi con un suo determinato costo, forse sono io che sono così provinciale, così vigevanese, che non ho capito. Apro la borsa, prendo il portafogli, estraggo tre banconote a caso.

"Domattina per cortesia mi date una spolverata alla macchina?" Invento su due piedi. "L'ho lasciata un po' di giorni a Malpensa, ha piovuto, la carrozzeria è un disastro."

I due mi fissano esterrefatti. Solo adesso che metto le banconote sulla scrivania, scrivania dietro la quale il garagista è seduto su una poltrona girevole dentro una tuta Esso rossa e grigia, solo adesso mi accorgo che ho pescato un pezzo da cento e due da cinquanta, una follia per una semplice spolveratina.

"Cioè vuole che gliela portiamo a lavare?" chiede il ragazzo, guardandomi come si guarda una pazza. "O che la laviamo e le facciamo anche gli interni in pelle? Perché son belli, la pelle beige vale la pena tenerla pulita, la puliamo noi, usiamo un sapone speciale che ammorbidisce, che..."

"Anche gli interni, sì, la pelle," gli do sulla voce, mentre arrossisco, richiudo la borsa, giro sui tacchi.

"Evviva, buonanotte, buon riposo," dico insensatamente, mentre scappo dal gabbiotto morta d'imbarazzo e a passo di marcia esco dal garage. È per i giorni strani di Copenaghen, mi dico. Anzi no è per il volo. Meglio: per la fame. Per il calo della glicemia. Ecco, il calo della glicemia: fa sragionare.

La mia è una Jaguar XJ del 2002, il colore è BRG, british racing green, diciamo pure verdone se preferite, è l'unica auto di cui conosca oltre che la marca anche il modello e non per caso, almeno secondo il personaggio che me l'ha venduta, un antiquario di Cantù. Non per caso in quanto la Jaguar XJ è un'icona, come mi ha spiegato l'antiquario brianzolo quando gliel'ho presa, nei primi giorni in cui mi ero trasferita qui a Milano e avevo rotto la diga di contenimento dell'imbarazzo, cominciando a spendere senza paura per la felicità di Gualtiero Quintavalle ma soprattutto mia. La Jaguar XJ sarà anche un'icona della storia dell'automobile ma io invece ne ricordavo il nome solo perché ancora la desideravo come l'avevo desiderata nei miei due anni di università a Pavia, folgorata una sera in piazza Ghislieri quando un ragazzo, uno studente, un mio coetaneo, era uscito dal collegio cui è intitolata la piazza, nella luce calda che seguiva il tramonto di una giornata di primavera, e sulla scalinata che porta all'antica residenza universitaria aveva accolto due amiche, due studentesse pure loro, le aveva condotte alla sua auto, aveva aperto loro le portiere, le aveva fatte salire ed erano partiti gloriosamente, i finestrini abbassati, le risate gioiose, verso una cena, una festa, o chissà quale altra occasione che però mi ero immaginata necessariamente inaccessibile e sfarzosa. Io ero con Giorgio, eravamo appena arrivati da Vigevano per una rassegna di cinema indiano al vicino collegio Castiglioni, stavamo parcheggiando la Uno beige del mio futuro marito in piazza Ghislieri e guardando l'auto del ragazzo di quella sera perfetta scappar via come in un sogno mi era rimasto fissato per sempre negli occhi il nome del modello, ben chiaro sul largo elegantissimo posteriore, XJ, come la Jaguar che possiedo ora, quella del ragazzo come ovvio nella versione di quegli anni, ma niente di troppo diverso dall'ultima XJ messa in commercio e degna del suo nome, della sua iconicità, cioè questa, la mia, immatricolata nel 2002 e da me fatta restaurare e rigenerare quanto a carrozzeria, interni, motore, infine riverniciata nel medesimo, intramontabile, magnifico color BRG.

Fuori dal garage per tornare a casa lascio via Nerino, passo da piazza Borromeo, imbocco via dei Borromei. Di notte le Cinque Vie sono una zona quieta, diresti addormentata, qui nel cuore del quartiere non c'è quasi anima viva, soltanto un gruppetto di amici attempati che scherza e ride fuori dall'unico ristorantino di via dei Borromei, alla faccia delle preoccupazioni del garagista e del suo giovane compare. Poi quando arrivo in via Brisa, prima di svoltare in via Saterna, tengo a freno il languore e mi fermo per un attimo a rimirare la mia nuova casa. Da questa parte i cipressi nascondono il giardino e il lato corto dell'edificio. S'intravvedono solo il tetto, la parte superiore della lunga finestra panoramica del soggiorno al secondo piano, rosso scuro il primo in virtù delle tegole vecchia maniera, i muri invece giallo ocra, di notte rischiarati da una batteria di proiettori sistemati a terra, nascosti tra le aiuole, che allungano sul soffitto del soggiorno l'ombra dell'intelaiatura della finestra. Mi basta guardare perché mi sembri di sentire il profumo buono che mi accoglierà in casa, il profumo dei gigli freschi, del legno della biblioteca, delle tappezzerie dei divani nuovi, delle tele appese in galleria. Mi si riempie il cuore di felicità, è una casa *bellissima*. Il portone che dà sul giardino, in legno di noce solido, spesso, moderno ma senza tempo, è bellissimo anche lui. Ho pagato la municipalità perché potessi far continuare all'esterno il porfido del vialetto del giardino, trasformando una sezione del marciapiede, creando un'isola rossa nel grigio dell'asfalto che accoglierà gli ospiti, presto, quando il giardino si aprirà per la seconda edizione del premio Brivio. Abitare qui è una fortuna, un privilegio. Ho sessant'anni, una rendita di due milioni al mese, quattro camere da letto, quattro bagni, una biblioteca con gli scaffali su misura, metà di un piano destinata a galleria per i quadri che mi sono messa a collezionare, un giardino nel cuore di Milano dove posso girare nuda. Eppure, la cosa che mi chiedo ora è cosa direbbe vedendo la mia auto, cosa direbbe entrando nella mia casa, il ragazzo uscito dal collegio Ghislieri e salito sulla sua Jaguar nella sera incantata di trent'anni fa.

"Vecchia scema," mi dico ad alta voce. Meglio entrare e mangiare, finalmente, ché il calo glicemico ormai mi fa delirare. Giro l'angolo e là in fondo, in via Saterna, sotto la marquise, seduta sui tre scalini che portano all'ingresso cosiddetto nobile, c'è la Giraffa nel suo soprabito rosso fuoco.

Mi accorgo di aver lasciato il telefono spento da almeno cinque ore, l'ho staccato quando sono entrata in aeroporto a Copenaghen oggi pomeriggio, poi non ci ho più pensato. Me ne accorgo perché vedendo la Giraffa la prima cosa che mi è venuta in mente, a parte fare un balzo indietro e riparare oltre l'angolo, è stata di telefonare alle mie amiche o alla Gianna per farmi aprire qui al cancello del giardino. Ora che il cellulare è riattivato ricevo una raffica di messaggi che mi avvisano di telefonate da parte di Elena, Fanny, Kostanza, persino di due dalla linea fissa di casa, quella la usa solo la Gianna, lei il cellulare non ce l'ha e si rifiuta di farsene prendere uno. Subito dopo arriva la raffica di messaggi WhatsApp, tutti dello stesso tono: appena riaccendo il telefono, mi scrivono le mie due amiche e la mia segretaria, sono caldamente invitata a chiamare. Ne ho letti solo un paio quando mi chiama Fanny.

"Sara, cara, sei atterrata?"

"Fanny, sono bella che arrivata! Sono all'ingresso del giardino. Mi..."

"Ferma! C'è una matta vestita di rosso" strilla, senza lasciarmi finire. "Ti sta aspettando sui gradini di casa!"

La mia cilindrica amica ha il suo tono più accorato. Me la vedo, con la fronte corrugata che parla curva sull'apparecchio, l'altra mano a fare da schermo a mezz'aria come se volesse evitare che le parole possano sfuggire senza raggiungere il suo interlocutore. Fa sempre così, Fanny, quando è preoccupata e telefona: si spinge gli occhiali contro l'attaccatura del naso, si mette in quella posizione ricurva e assume il suo tono più accorato, che in realtà è il tono che le viene quando la sta sommergendo il panico e che è anche il tono che ti fa sospettare che il suo quoziente intellettivo abbia dei limiti sostanziali.

"Fanny, cara, ti dicevo: sono qui all'ingresso del giardino. Vienimi ad aprire."

"Ma sono ancora nuda!"

"A quest'ora?"

"Ero preoccupata. Sono preoccupata. Non ho pensato a vestirmi. Sono in accappatoio. La matta col soprabito rosso è arrivata di pomeriggio mentre eravamo in giardino a scrivere e facevamo il bagno di sole, ha suonato…"

"E tu vieni ad aprirmi in accappatoio, Fanny," la interrompo, esasperata dalla fame e dalla straordinaria capacità della mia amica di dilungarsi inutilmente. Ma ho alzato la voce e adesso lei tace. Avrei dovuto ricordarmi che quando ha il famoso tono accorato è talmente preda del panico e deprivata delle sue normali facoltà mentali da reagire al più piccolo contrasto come un'orfanella derisa da un bambino crudele.

"Ti metti un paio di scarpe," riprendo a dire, ora con infinita pazienza, "e anche se sei in accappatoio esci in giardino e mi vieni ad aprire. Che ne dici?"

Ma lei niente, è già sull'orlo del pianto.

"Ti passo Elena," dice, con voce rotta.

Sento il rumore del telefono che cambia di mano, sento la sonora soffiata di naso di Fanny, poi ecco Elena che si schiarisce la gola.

"Sara, dove sei?" dice la mia amica, con la sua bella voce ferma e serena.

"Elena. Grazie al cielo. Sono qui per strada, in via Brisa, al cancello del giardino. Mi venite ad aprire?"

Dentro, al sicuro, per prima cosa devo mangiare. La Gianna ha apparecchiato per uno a capotavola in sala da pranzo, Fanny ed Elena hanno già cenato, per loro è tardi come del resto è tardi anche per me. Stiamo insieme in questa casa più o meno da un anno e mezzo, le ho invitate a vivere qui poco dopo che mi sono trasferita, e Milano o non Milano tutt'e tre ci teniamo strette le nostre abitudini di lombarde di provincia, dunque ci sediamo a tavola al massimo alle sette e mezza e alle otto già impazziamo dalla fame.

"L'era ura!" tuona la Gianna dalla cucina. Ha messo su

un risotto, sta preparando anche l'ossobuco di secondo, di contorno c'è l'insalata di lattuga, di antipasto mi ha proposto salame, vitello tonnato, carciofini, che in un minuto ho spazzolato via. Di frutta ci saranno i magiùstar, intendendo le fragole, che in maggio, come suggerisce il nome dialettale, sono di stagione, e che la Gianna mi servirà bagnate nel vino rosso, con un po' di zucchero.

"L'aereo era in ritardo," rispondo. "Poi c'era traffico a entrare in città."

Lei borbotta qualcosa che lo sfrigolio delle padelle copre, scommetterei "ta ghè inmà di patàc", una tra le sue frasi liquidatorie preferite, letteralmente significa "hai solo delle patacche" ma intendendo, parafrasando, "hai solo delle scuse di poco valore". La Gianna ha abbondantemente superato i settanta, è vigevanese da due generazioni, i suoi bisnonni erano di Zeme Lomellina, inurbati tra le due guerre all'epoca in cui a Vigevano nasceva l'industria calzaturiera, normale che per lei sia più importante che io sia arrivata in ritardo per cena anziché l'emergenza in corso, cioè la Giraffa inchiodata sui gradini di casa. Che ha fatto altri disastri, a parte sedere lì ad aspettarmi dalle sette pomeridiane, come mi sta raccontando Elena.

"Hanno suonato il campanello su via Saterna alle sei, io e Fanny eravamo in giardino a scrivere, è andata ad aprire la Gianna. C'era questa spilungona con il soprabito rosso."

"E la testa con una gran massa di riccioli grigi," sospiro io, versandomi un bicchiere di Brunello, settanta euro in enoteca, non ho mai capito nulla di vini, questo è uno dei pochi che conosco di fama ed è ottimo.

Elena:

"Perché, la conosci?".

"Diciamo che credo d'averla già incontrata. Ma niente di che, lascia perdere. Vai avanti."

"In effetti ha una gran massa di riccioli, direi una permanente, nonché una protervia fenomenale. È aggressiva come un gatto selvatico e nonostante sembri un traliccio dell'alta tensione è veloce come uno scoiattolo," elenca Elena, mentre si versa del Brunello pure lei. Insieme a Fanny si è seduta a tavola a farmi ala, addosso hanno gli accappatoi e le ciabatte di spugna.

"Ne vuoi anche tu?" chiede alla nostra amica. Fanny scuote la testa. Poi invece ci ripensa, porge il bicchiere. Appena Elena gliel'ha riempito trangugia d'un fiato e singhiozza: "Mi ha pestato un piede".

Quasi mi strozzo col vino, devo tossire nel tovagliolo per dissimulare la risata. Povera Fanny, mi spiace, non vorrei mai che ci rimanesse male di nuovo, ma quando usa il suo famoso tono più accorato e dice queste cose da scuola elementare è irresistibile. Con Elena ci scambiamo un'occhiata di sottecchi.

"C'è stata una mezza colluttazione, in effetti," dice la mia amica, stringendo amorevolmente l'avambraccio della cara Fanny. "E anche un furto."

La guardo esterrefatta.

"E di cosa?"

"La cagada blè!" sbraita la Gianna dalla cucina, sopra i fornelli a pieno regime.

"Il César? Ha rubato il César?"

Una scultura di César bellissima, anche se per la Gianna somiglia a una grossa massa di escrementi blu, un'espansione di poliuretano del 1966, piccola, alta una spanna, larga altrettanto, un pezzo introvabile in queste dimensioni, autenticata dalla fondazione César, pubblicata in tre cataloghi, conservata perfettamente, l'avevo vista alla galleria Ferrero di Nizza in una delle rarissime vacanze che ero riuscita a estorcere a quel taccagno di Giorgio quando ci eravamo appena sposati, io e lui non potevamo nemmeno lontanamente permetterci quel César, solo sognarcelo, l'espansione blu mi era rimasta nel cuore allo stesso modo della Jaguar XJ di piazza Ghislieri. Klein, Arman, César, tutto il *nouveau réalisme* erano il mondo dell'avanguardia leggendaria che credevo irraggiungibile, visibile solo nei musei da metri di distanza, invece un pezzo straordinario era lì, a essere abbastanza ricca avrei potuto persino portarmelo a casa, Ferrero mi aveva invitato a toccarlo, l'avevo fatto, avevo accarezzato l'espansione incredula, le mani tremanti, amorevoli, fin quando il gallerista mi aveva invitata anche a smetterla. Quando sono venuta ad abitare qui alle Cinque Vie e ho cominciato a collezionare arte me ne sono ricordata, sono tornata a Nizza a cercare la galleria dove avevo visto quella meraviglia e, miracolo, dopo tutti quegli anni c'erano ancora sia Ferrero che il César. Forse nessuno l'aveva voluto a causa del prezzo esagerato, euro ottantacinquemila, io invece non ho battuto ciglio, l'ho preso. Non l'ho sistemato al secondo piano con i quadri ma giù, in ingresso, sul tavolino addossato alla parete centrale, sotto lo specchio, insieme al telefono fisso e alla piccola ciotola per le chiavi è la prima cosa che vedo entrando in casa, una gemma di bellezza che mi consola dai malanni e dai cattivi pensieri. E la Giraffa se l'è fregato?

"Come ha fatto? Ma perché, poi?"

Elena scuote la testa e alza le mani come se si arrendesse.

"Sara, l'ha preso perché voleva parlare con te."

"Sì, propi lè," di nuovo la Gianna dalla cucina.

"Te," aggiunge Fanny, puntandomi contro il dito, imbronciata come se fosse colpa mia.

"E perché se voleva me si è portata via una scultura?"

Elena scoppia a ridere.

"Scusa. Era talmente *insensata*, quella donna, che mi viene da ridere. Voleva te, ma la Gianna sa che deve dire a tutti che qui non abita nessuna Sara Brivio. Dunque la spilungona con il soprabito rosso si è inviperita e ha iniziato a strillare."

"Sciura, me la vusìva!" sbraita la Gianna dalla cucina. "Ma vusìvi anca mi!"

"Già, la spilungona strillava, la Gianna pure, siamo arrivate di corsa io, Fanny, Kostanza. E questa qui strillava 'dè, son mica tonta. Dè, lo so per certo che abita qui. Dè, dov'è la Brivio?'."

"Dè tutte le volte?"

Elena scoppia a ridere di nuovo. Anche l'altra notte, a Vigevano, la Giraffa usava dè come incipit.

"Dè tutte le volte, proprio. Abbiamo pensato che fosse una scrittrice in cerca di informazioni sul premio."

"Non credo che c'entri il premio," dico, ricordando la scenata con mia figlia, il nome di mio padre, il mio.

"Comunque noi niente. Noi abbiamo negato fino alla morte," dice Fanny, ora che il vino sembra averla un po' distesa.

"Eh, la morte, addirittura. E il César?"

"Che tu non abiti qui lei non ci ha creduto nemmeno per un minuto," mi dice Elena. "Ha insistito, pestava i piedi, anzi le zampe, delle sleppe come minimo numero quarantatré. Diceva dè, son mica scema. Diceva la Sara Brivio, la figlia dell'Angelo Brivio, io lo so che sta qui e ci voglio parlare."

Elena continua a scuotere la testa, come se non sapesse farsene una ragione.

"Ma noi continuavamo a negare, no? Reggevamo il tuo gioco. Così ha detto 'facciamo una roba: io mi porto via qualcosa, che poi quando la Sara Brivio si decide a parlarmi ce la do indietro'. Non ha aspettato risposta. Prima che capissimo cosa intendesse ha preso il César ed è scappata via."

"Con la scultura in mano?"

"Te l'ho detto: veloce come uno scoiattolo," dice Elena.

"Te l'ho detto: ho provato a mettermi in mezzo e mi ha pestato un piede," dice Fanny, e mima il gesto con la gamba, la solleva, poi colpisce il pavimento come per schiacciare un insetto. "Non l'ha pestato per sbaglio. L'ha fatto apposta."

Ha usato il tono accorato. Io inspiro profondamente.

"E perché non l'avete inseguita?"

"Parché le sciure fasivan le nüdiste," polemizza la Gianna, dai fornelli.

"In realtà eravamo in accappatoio," sospira Elena.

"Ma senza ciabatte," sospira pure Fanny, accoratissima.

"E mi sivi int'la cusìna," urla la mia cuoca.

"Kostanza," spiega Elena, "aveva i tacchi e la gonna del tailleur stretta, ha provato a correrle dietro, è caduta."

"Si è spellata un ginocchio, ha smagliato le calze, e quella là è scappata con la scultura" piagnucola adesso Fanny. "Scusaci, Sara. Ci perdoni?"

Le scendono proprio i lacrimoni.

"Scusa, dai. Ci scusi per favore?"

Io di nuovo inspiro profondamente e basta, che è la risposta migliore.

"E adesso cosa ci fa sugli scalini?"

"Ti aspetta!" dicono le mie due amiche come una sola. Poi la Gianna porta in tavola il risotto e io attacco il piatto, giallo di zafferano, come se fosse l'unico rimedio contro i mali del mondo.

Dopo, quando la cena è finita, va molto meglio. Anche il quadro della situazione è migliore, o se non altro meno confuso. La Giraffa è tornata alle sette, ha citofonato, ha detto che la scultura era al sicuro nel baule della sua macchina e che si sedeva lì e mi aspettava, occorresse pure una settimana. Le ha parlato con il dovuto distacco Kostanza, che nel frattempo, come le mie due amiche hanno tenuto a sottolineare, cosa sotto la quale ho intravisto un sottile intento canzonatorio, era andata a medicarsi il ginocchio e a cambiare le calze con un paio delle tante che conserva nei prodigiosi cassetti della sua scrivania. La mia segretaria cautamente non ha aperto, si è fatta mostrare un documento alla telecamera, svizzeramente ha chiesto il permesso della Giraffa e ne ha preso i dati, poi si è fatta dare anche il numero di telefono, per verifica l'ha chiamata immediatamente, fuori dalla porta il telefono ha squillato, dunque non c'è dubbio che il numero che Kostanza ha appuntato su di un foglietto insieme al nome e al resto sia autentico.

"C'ho mica niente da nascondere, io," pare che abbia detto lo strano essere bislungo con il soprabito rosso. Che risponde al nome di Lilly Ramella, residente a Brig, Svizzera, Briga nella dizione italiana, ma nata a Corbetta nel febbraio del 1946 e dunque a oggi settantaduenne. Nubile, professione casalinga, altezza 1.87, occhi grigi, capelli pure.

Come ho appreso dall'ottimo Quintavalle nell'ereditare la mia fortuna, Briga è dove si era nascosto per gli ultimi vent'anni e dove aveva accumulato il suo immenso patrimonio mio padre, della cui mancanza di fantasia non ho mai smesso di stupirmi: sparisce dalla mia vita nonché da quella di mia madre e lo fa sistemandosi nella prima città oltreconfine, la prima stazione che trovi col treno quando da Domodossola passi in Svizzera, tanto valeva Chiasso allora, che ci arrivi in autobus da Como. La residenza della Giraffa a Briga se non altro suggerisce una ragione per le sue domande in via dei Mulini, chi lo sa, magari avrà un esercizio commerciale nel canton Vallese e ci sarà un conto non pagato dal droghiere o in lavanderia, mio padre era in Alzheimer da anni ma è morto all'improvviso, può essere che Quintavalle si sia dimenticato di saldare una fattura. Anche se Lilly Ramella in realtà sembra dirmi qualcosa, è un nome che mi pare d'aver già sentito, ma poi niente di più, d'altronde nella pianura che dalla provincia di Vigevano passa a quella di Milano, tra la mia città e Abbiategrasso, Corbetta, Corsico e Gaggiano, di Ramella è pieno. Poi certo mentre la cena proseguiva e la conversazione languiva ho pensato anche di raccontare alle mie amiche della notte di Vigevano, di condividere il mio sgomento, ma sarebbe stato anche necessario spiegar loro che dopo anni mia figlia mi ha di nuovo parlato e con quali parole, sarebbe stato necessario spiegare che io sono scappata a Copenaghen tanto per quelle parole quanto per la sinistra apparizione della Giraffa, raccontare dell'angoscia che mi aveva preso alla gola, dei giorni in Danimarca, di Marvin, e ho desistito. Con Elena e Fanny viviamo insieme, nel mio giardino stiamo sdraiate nude l'una accanto all'altra, mangiamo alla stessa tavola, abbiamo la stessa passione per la scrittura, la lettura, la letteratura, possono farmi leggere i romanzi che stanno scrivendo e io posso commentarglieli con una franchezza che ad altri costerebbe insulti e litigi e, come si direbbe nei libri più prosaici e scontati che noi evitiamo, insieme ne abbiamo passate tante. Sono le mie due più care anzi uniche amiche, l'ho già detto, ma non siamo sposate. Tra amiche a sessant'anni rimane un diaframma, una parete magari di vetro però solida, che non si può oltrepassare, che ti taglia fuori dalla confidenza senza pudori delle amicizie da ragazzine. Le chiamo amiche, voglio loro un bene dell'anima, loro lo vogliono a me, viviamo insieme eccetera, ma, se non fosse chiaro, io alla fine non ho nessuno. Io, e scusate se lo dico di nuovo in questo modo prosaico, anzi verboso, io nella buia stanza dell'angoscia preferisco stare da sola.

Ma al caffè in ogni caso mi fanno compagnia.

"Io dek, altrimenti non dormo," dice Fanny, come se non lo sapessimo, come se non lo dicesse ogni volta che la Gianna carica la caffettiera e le tocca preparare quella da uno apposta per lei con il decaffeinato.

"Ma sì cara, a te quello dek," dico, accarezzandole il dorso della mano per rassicurarla. Poi mi sovviene questo dettaglio fondamentale.

"Però scusate, amiche mie, questa Lilly Ramella, come ha fatto a sapere che io abito qui?"

"Qu'l pìral d'al garagista," sbotta la Gianna dalla cucina, mentre sistema le caffettiere sul fuoco.

"Essì," dice Fanny schioccando le dita, sul pericoloso versante della ripresa del tono accorato. "Quando è tornata e si è accampata sugli scalini, la matta ci ha detto che l'indirizzo gliel'ha dato il garagista. Per quello era tanto sicura."

"Proprio un pirla," dico io, per rassicurarla, accarezzandola come si accarezza un gattino spaventato. Ecco perché il garagista mi ha proposto di accompagnarmi a casa, altro che servizio taxi a pagamento. Che cretino. Che stizza. Meno male che al garagista avevo raccomandato di mantenere una completa riservatezza, meno male che gli avevo detto e ripetuto che se qualcuno avesse chiesto qualcosa di me prima di rispondere avrebbe dovuto consultarmi. Meno male che la Gianna arriva con il caffè. Lo butto giù d'un fiato, senza zucchero.

"Sara, ma chi è questa Ramella? E al garage come c'è arrivata?"

Così mi chiede Elena, con la sua bella voce serena e sicura. Io guardo il fondo della tazzina.

"Buono il caffè, brava Gianna," dico, tamburellando con le dita sul tavolo mentre le mie due amiche invece zuccherano, mettono un goccio di latte, rimescolano. È esattamente in questi momenti che sento il diaframma di vetro, che sembra trasformarsi in cemento, in acciaio.

"Che brava la Gianna in cucina, vero?" aggiungo, senza domandarlo a nessuna in particolare, guardando ostentatamente l'orologio, un Rolex, che sì, è molto da piccoloborghese arricchita, sono d'accordo, però mi sono sempre piaciuti i Rolex, prima non potevo permettermeli, adesso invece ne ho due, e allora?

"Gianna!" strillo. "Son passate le dieci, l'abbiamo trattenuta anche troppo. Vada pure a dormire, porto io le tazze in cucina."

"Seri ben straca!" dice lei di là, ero ben stanca, e intanto ripone piatti e bicchieri, apre e chiude gli sportelli della cucina Bulthaup, anche questa da arricchiti direte voi. Fatevene una ragione.

"Vada pure su in camera" dico alla mia cuoca, poi guardo fisso le due amiche, taccio, ostento un discreto sorrisino, riprendo pure il tamburellio leggero, ritmico, semiconsciamente sui cinque quarti del famoso pezzo di Dave Brubeck. Non ce lo siamo mai detto esplicitamente ma tra noi silenzio, sorriso, tamburellare, sono un segnale, oserei dire quasi un ordine da parte mia.

"Buonanotte Gianna," dico ad alta voce, quando lei dalla cucina imbocca direttamente il corridoio, strascicando i passi verso la scala.

"Buna," risponde l'anziana lomellina, affrontando i gradini con un gemito. Insisto con il sorrisino, insisto con il silenzio, insisto con *Take Five*, anzi adesso annuisco pure, lo so che continua a essere un modo di fare antipatico, antipaticissimo, esecrabile: ma ora avrei proprio bisogno di restare sola.

"Vuoi che andiamo su anche noi?" dice Elena serena come sempre, Elena che ha perfettamente capito. "Magari adesso preferisci stare un po' per conto tuo?"

"Eh no, Elena. C'è quella matta di fuori. È meglio se stiamo qui."

Fanny invece oggi proprio non è in forma. Fanny rimane

una che scrive benissimo, una penna meravigliosa, i migliori racconti sulla famiglia italiana dopo Natalia Ginzburg però con più humour, ma incarna anche la dimostrazione vivente che un'eccellente scrittrice non è necessariamente una cima. "Magari adesso vado a letto anch'io, ho viaggiato, è tardi, sono stanca," mormoro, rompendo il silenzio, smettendo il tamburellio. "Mi sa che quella la faccio aspettare fino a domani."

"E la scultura?" chiede Fanny, subito accorata.

"Casomai ne compro un'altra," dico, alzandomi, augurando loro la buonanotte. Ma non ci penso nemmeno per un istante, ce ne saranno anche di uguali o migliori, ma quel César è un pezzo del mio cuore. Faccio finta di fare qualcosa in cucina, apro e chiudo sportelli, faccio scendere l'acqua al lavandino. Quando finalmente Elena è riuscita a portare Fanny di sopra e sento i passi delle mie due amiche nelle loro camere, vado in ingresso ad affrontare la Giraffa.

6.

Champagne sprecato

"Signora Ramella, è ancora lì?"
Lo dico all'improvviso al citofono e la Giraffa sussulta. In realtà la vedo benissimo nella telecamera, lei è ancora lì eccome, sveglia e vispa nonostante l'ora, la stavo spiando da qualche minuto, girava l'enorme testa di qua e di là seduta con la schiena ben diritta, controllando metodicamente via Saterna e gli accessi da ambo i lati. Si alza come se non avesse gli anni che ha e si gira verso il citofono.
"Sei la Brivio?" ci abbaia dentro. "Dè, sei te?"
"Sono io, ma per cortesia tenga bassa la voce, è tardi. La sento anche se parla a un volume più moderato."
"Dè, Brivio, non prendere in giro, sto parlando normale."
La vociona è adenoidale, odiosa. Fuori, in piedi sulla piattaforma dell'ingresso, la Giraffa assume quella sua posa altrettanto odiosa, già apprezzata a Vigevano, le mani sui fianchi, la grande testa riccioluta piegata di lato.
"Allora faccia la brava e parli sottovoce perché qui i vicini sono molto suscettibili."
"Se mi fai entrare vedrai che non ci sentono," dice, senza aver minimamente abbassato alcunché.
"Se mi riporta la scultura che ha rubato la faccio entrare."
Lei fa una risata, ridendo esattamente come t'immagineresti che riderebbe una giraffa.
"Dè, son mica scema. Prima mi fai entrare, mi fai parlare, poi ti riporto il coso."

79

Alzo gli occhi al cielo, avrei voglia di metterle le mani al collo, anzi di filare in cucina, prendere il mattarello della Gianna, aprire la porta di sorpresa e spaccarglielo su quella inguardabile cupola di riccioli grigi. Ma questo, mi tocca ragionare, non mi condurrebbe né al recupero del César né a una semplice soluzione giudiziaria dell'episodio, benché, immagino, potrei pagarmi i migliori avvocati del foro milanese e cavarmela senza danni eccessivi. È con il vago retropensiero di cercare davvero il mazzuolatore prezzolato che oggi meditavo di scatenare contro l'egiziano, mettendogli pure la Giraffa nel carnet degli impegni, che premo il pulsante d'apertura. Lei entra, stretta nel suo soprabito rosso tutto abbottonato. Appesa al braccio sinistro ha una borsetta bianca bisunta, la mano destra invece me la porge strillando.

"Ramella Lilly, buonasera!"

Io la mano gliela stringo, sono una persona perbene, benché l'impulso di schiantare qualcosa in fronte a questa gigantessa cresca a dismisura. La scongiuro di abbassare la voce, c'è gente che dorme, dico, mentre lancio un'occhiata alla scala che sale al primo piano, ci manca solo che adesso si affacci la Gianna o peggio ancora Fanny.

"Dè!" mi redarguisce, seguendo la direzione del mio sguardo. "Se hai intenzione di farmi qualche sorpresina va' che io ho fatto un corso di ju-jitsu."

Fatico a non esploderle a ridere in faccia. Fatico a non afferrarle il collo e scuoterla mitragliandola di insulti. Per evitarlo mi devo concentrare, dirmi che è tardi, dirmi che dobbiamo far piano, che devo solo lasciarle raccontare quel che deve e poi recuperare la scultura che le mie amiche e cuoca e assistente le hanno lasciato portar via. Ju-jitsu. È filiforme, rinsecchita, patetica, mi trattengo a stento dal chiederle se per lo ju-jitsu abbia seguito un corso Radio Elettra per corrispondenza. Infine non c'è dubbio, è pazza. Con le mani faccio quel gesto universale che significa calma, relax.

"Non si preoccupi, signora Ramella," dico con voce flautata. "Io son qui che l'ascolto, mi dica quel che mi deve dire, e poi per cortesia mi restituisca il pezzo che mi ha sottratto."

"Vediamo," dice lei, di nuovo in quella posizione, le mani sui fianchi, la testa inclinata. Inspiro a fondo, indicandole il corridoio che gira intorno alla casa.

"Intanto," riesco a dire "magari ci sediamo tranquille di là?"

"Cosa c'è di là?" squittisce in modo incongruo per la sua altezza, e per un istante di purissima comicità assume una posizione di difesa con le gambe divaricate, le mani di taglio, le braccia piegate ad angolo retto, mentre nella piega del gomito sinistro la borsa bisunta resta appesa e oscilla. Ma aveva detto ju-jitsu o karate?

"Di là c'è un soggiorno, ci sono delle poltrone," esalo, con voce strozzata. "Ci sediamo, se vuole beviamo qualcosa e, come si proponeva, lei mi dice quel che mi deve dire. Vuole un caffè? Glielo faccio. Oppure un'aranciata, un chinotto? Li prendo in frigo. O un bicchiere di vino?"

"Dè, Brivio, lo champagne non ce l'hai?"

"Ma sì, ho anche lo champagne."

"Ecco, sapevo io," dice la Giraffa. "Allora dammi lo champagne."

"Champagne, perfetto. Passiamo un attimo di qui, è in cucina."

In cucina, insieme alla Bulthaup gigantesca con isola centrale, c'è anche la cantinetta verticale con i ripiani a temperatura differenziata, lo champagne lo tengo in quello a cinque gradi. Ne prendo una bottiglia, prendo anche due flûte da un armadietto, intanto tengo d'occhio la mia ospite prima che s'infili in tasca uno schiaccianoci o un frullatore ma lei si guarda intorno e basta, annuendo come se fosse soddisfatta di chissà cosa.

"Prego," le dico, facendole di nuovo strada attraverso l'atrio e poi lungo il corridoio del piano terra verso il soggiorno, lo stesso con la finestra-specchio dove giorni fa ho spiato El Panteròn alle prese con Kostanza. La Giraffa caracolla dietro di me continuando a guardarsi ostentatamente intorno, canticchiando un motivetto incomprensibile, mentre io medito con una certa serietà di spararle in faccia il tappo dello champagne.

"Va' che bella casa," dice infine in soggiorno, locale in cui staziona anche un lungo tavolo in legno massiccio, spettacolare, perfettamente inutile salvo reggere un grande vaso di gigli presi dalla Gianna questa mattina, oltre a un divano a tre posti, due poltrone coordinate al divano che tra loro fanno angolo, tre tavolini, un cassettone basso e lungo, e una grande vetrata scorrevole con vista e accesso al giardino illuminato dai faretti.

Mi siedo su una poltrona, la Ramella sull'altra, finalmente da così vicino noto un dettaglio che sin qui mi era sfuggito: non è la testa a essere grossa, sono i capelli, la massa di ricci, il cranio in realtà è una roba minuscola, più da tartaruga che da giraffa. Guardo la testina, armeggio con la capsula dello champagne, punto la bottiglia contro la Giraffa, lei però maledizione si alza. Lilly Ramella sembra non riuscire a star ferma, vàgola per la stanza, le mani adesso le ha ficcate in tasca al soprabito rosso fuoco che non ha tolto, che non ha neanche sbottonato. Gira, di nuovo canticchia, si ferma davanti al tavolo, lo accarezza, poi si sposta davanti alla finestra sul giardino, poi davanti al lungo cassettone coordinato, ogni volta annuendo, ogni volta esprimendo lo stesso concetto:

"Va' che bella casa".

Alla fine riesco ad aprire la bottiglia, il tappo lo trattengo perché tanto lei è troppo lontana perché possa colpirla, verso, alzo il suo bicchiere per offrirglielo, lei viene a prenderselo, finalmente si siede, beviamo e no, non facciamo un brindisi, a cosa dovremmo mai?

"Dè, Brivio, proprio una casa di lusso," ribadisce la Giraffa, sprofondata nella poltrona, le calze di nylon che fanno remboursé attorno alle ginocchia ossute, i lunghi piedi calzati di consunte scarpe Superga di tela bianca. "Hai la cuoca, le sculture, il giardino, hai tre piani, hai il macchinone. Anche se l'altra sera mica mi avevi staccata."

Ecco come ha trovato il garage, mi dico, digrignando i denti mentre lei ride. Poi trangugia lo champagne in due lunghi sorsi e guarda il bicchiere vuoto.

"Buono. Champagne. Ero *sicura* che buttavi via i soldi anche con lo champagne."

La guardo esterrefatta. Ma che vuole? Lei fa un gesto circolare e lento, come un cardinale che benedica i fedeli.

"Brivio," dice, adesso guardando me con il capo inclinato. "Io ero la donna di tuo padre e tutti questi soldi che butti via in scemate sono i miei."

7.

Un insondabile, un imperscrutabile

Far colazione alle undici di sabato mattina all'ombra di un salice nel proprio giardino, servita da una cameriera impareggiabile benché impertinente come la Gianna – "l'era ura", ha detto dieci minuti fa, quando finalmente sono scesa dalla camera –, farlo ascoltando cinguettare i passeri, i tordi, le cinciallegre o quel che diamine sono, che ne so io di fauna aviaria, farlo nella tranquillità di questo quartiere nascosto nel cuore di Milano, protetto da telecamere e divieti d'accesso, una tranquillità non scalfita dal fruscio delle pagine delle mie amiche Elena e Fanny che, come d'abitudine, dedicano queste ore del mattino al bagno di sole integrale e alla lettura, far colazione in questo modo riporta serenità, razionalità, visione anche a chi, come me, preda dell'angoscia ha dormito poco o niente, come se al posto del materasso avesse un graticcio di vetri rotti e aghi. La Gianna ha fatto la torta di mele, un po' asciutta, ma devo dire niente male. Le do una voce, le porte sono aperte, mi sentirà fino in cucina:

"Gianna, mi porta un'altra tazza di caffè?".

La Giraffa ha sostenuto d'esser stata la "donna" di mio padre da quando si è stabilito a Briga e dunque no, non era semplicemente la titolare di una lavanderia svizzera con il conto in sospeso. La Giraffa ha sostenuto anche di averlo pietosamente assistito negli ultimi anni, quando l'Alzheimer lo aveva reso incapace di lavarsi, mangiare, svolgere le proprie funzioni corporali. La Giraffa, o se vogliamo chiamiamola pure Lilly Ramella, mi ha detto che quanto scritto su un foglio protocollo gualcito, un foglio a quadretti battuto a macchina e firmato, un foglio che ha estratto con sacrale attenzione dalla borsetta bianca ove lo conservava protetto da una carpetta di plastica trasparente, è il testamento di mio padre. Ieri notte eravamo io su una poltrona lei sull'altra, e quando ha pronunciato la parola testamento ho avvertito un'esplosione al centro esatto del segmento che mi congiunge le tempie, ma ho mantenuto il sangue freddo, ho solo sospirato, poi ho allungato una mano sopra il tavolino per prendere il fogliaccio che volevo esaminare da vicino. Lei è saltata su dalla poltrona come se l'avesse punta un calabrone. "Dè, ti! Sta' ferma, furbetta! Non ci provare."

Pensava volessi stracciarlo, suppongo. Dunque me l'ha fatto leggere reggendolo a un metro di distanza, le lunghe gambe aperte in un'immobile falcata come di centometrista sui blocchi di partenza pronta a scattar via di fronte a un mio eventuale attacco, io che in effetti faticavo a trattenermi dall'attaccare lei anziché il foglio, dall'afferrarla per il collo, dallo spaccarle in testa il vaso dei gigli e farla finita, perché io dicevo ma che vuole 'sta scema? Fidanzata di mio padre questa qui? Possibile? Una così anziana? Una così spaventosamente racchia per il mio vanesio, sedicente irresistibile, escrementizio genitore?

Su quel foglio retto a distanza faticavo a distinguere quanto c'era scritto, il testo era stato battuto con una macchina da scrivere obsoleta, mal o mai pulita, di quelle che lasciavano sulla carta un'area nerastra all'interno delle "a", delle "e", delle "o". Erano poche righe, all'inizio c'erano nome e cognome di mio padre, il quale sotto dichiarava di lasciare il fondo Axel di settecento milioni di franchi svizzeri, il fondo Strike di ottocento milioni di franchi svizzeri, le azioni Merck per quattrocento milioni di franchi svizzeri alla signorina Ramella Lilly. Nient'altro. Seguiva data, primo gennaio 2015, e un tremolante glifo al posto della firma.

"Letto? Visto?" mi aveva detto con una risata di trionfo. "Ma dè, non ti preoccupare, Brivio: il resto è tuo."

Il resto, se non ricordo male quanto mi aveva detto a suo tempo il Gualtiero Quintavalle, sarebbero stati due o trecento milioni di franchi, cifra sempre gigantesca, impensabile e rivoluzionaria per la vita da fame che ho condotto fino a due anni orsono, lottando tra anticipi magri e compensi risicati per cicli d'incontri e scuole di scrittura, ma una piccola frazione della mia attuale ricchezza, alla cui interezza, spiacente, mi sono abituata e di cui, nuovamente spiacente, non intendo più fare a meno. È stato il mio turno di riderle in faccia. "Questo l'ha scritto lei e la firma è uno scarabocchio qualsiasi," ho detto alla Giraffa. Ma se lei ha fatto corsi di ju-jitsu, io li ho fatti di teatro: la mia spavalderia era tutta recitata, tra le due tempie l'eco dell'esplosione era tutt'altro che svanito.

La Gianna sbatte il caffè in tavola, la tazzina vacilla sul piattino, quasi si rovescia, lei non dice una parola, nemmeno si preoccupa delle stille di liquido nero che sono schizzate sulla tovaglia, sbatte e torna in cucina a passo di marcia. Non solo mal sopporta che io e le mie amiche ci si metta nude, poi nella sua testa ormai è ora di pranzo, basta colazione, sono io impertinente a disturbarla mentre prepara la past'al fùran, leggi pasta al forno, per carità non chiamatele lasagne, è un termine che aborre. Metto lo zucchero nel caffè, assaporo a piccoli sorsi, finisco la torta e anche il bicchiere di spremuta, poi stiro le braccia sopra la testa, inarco la schiena, mi allungo al sole, chiudo gli occhi, ecco qui anche un po' d'arietta fresca sulla pelle, che bella Milano, che bella questa mattina, che bello il mondo. Elena, nuda, dal lettino mi notifica questa informazione:
"Hai finito di far colazione? Se vieni qui noi avremmo il vincitore del premio. Anzi, la vincitrice".
Alza un libro, così distante non lo riconosco, dalla copertina con una brutta grafica sembra roba da piccolo editore però non l'ho mai visto, di sicuro non è uno di quelli della mia personale shortlist per la seconda edizione del premio, shortlist che si è sedimentata negli ultimi giorni in Danimarca e che comprende alcuni miei grandi libri del cuore, *Aspi-*

rapolvere di stelle di Stefania Bertola, *Volevamo essere giganti* di Angela Scarparo, *Domenica sera* di Marco Drago. Quello che ha in mano Elena dev'essere invece uno delle decine di libri arrivate per posta, una ragguardevole pila che ammetto di non aver neanche considerato. Al contrario di me, le mie due amiche hanno preso il premio seriamente, rigorose nell'intento di leggere, indagare, valutare tutto, chissà mai che ci possa sfuggire una perla inestimabile pretendendo di basarci solo sui nostri ricordi delle passate letture. Mi avevano detto che al mucchietto postale ci avrebbero dato un'occhiata, devono averlo fatto mentre ero a Copenaghen, vedi che succede a lasciare il campo anche solo per mezza settimana? Dentro di me alzo gli occhi al cielo, a Elena invece faccio segno di aspettare, di rinviare a dopo, e lo faccio con un sorriso dolce, dolente, perché adesso toccherà pure mettermi contro, adesso toccherà pure far pesare la mia posizione di finanziatrice, ci mancava solo questa, questionare sul premio, povera amica mia, è già abbastanza quanto ti ho trattato male ieri sera. E Fanny? Fanny l'ho trattata peggio ancora. Fanny cara, che sei lì di fianco a Elena e mi traguardi da sopra gli occhiali, nascosta dietro le pagine del tuo libro, Fanny che sfreghi i piedi l'uno contro l'altro, a disagio, di certo ancora preoccupata per aver fatto adombrare la tua migliore amica, temo che anche tu abbia dormito come su di un graticcio di vetri rotti e aghi, vero? Ti abbraccerei, anzi mi sto quasi alzando per farlo, mi ferma solo il fatto che tu sia nuda, il lungo corpo cilindrico rigido, teso, il ramato cespuglione dei peli pubici mai depilati persino più ispido del solito, sfrigolante sotto il sole come fosse carico di una tensione elettrica. Va bene, se proprio quel libro è il capolavoro che il sorriso estatico di Elena sembra lasciar intendere allora vedremo, di certo almeno lo leggerò.

"Ho un appuntamentino con il commercialista," dico alle ragazze, "poi vengo. Se faccio tardi magari pranziamo tutte insieme e ne parliamo a tavola. Vi va?"

Gli va.

"Questo comunque è eccezionale," insiste Elena, alzando di nuovo il libro come un trofeo.

"La Gianna sta facendo le lasagne," dico io.

"La past'al fùran! Se ciàmen no lasagn," sbraita lei dalla cucina, età avanzata ma orecchie finissime, una donna devota al rimbrotto sistematico, come compete a ogni vecchia, rude lomellina. Io non dico niente, sorrido tra me, cammino sull'erba soffice del mio giardino verso la casa e il guardaroba, perché devo vestirmi: Gualtiero Quintavalle, dottore commercialista, è in arrivo.

Quest'uomo è un gentleman. D'accordo, continuo a pagargli gli enormi cinquecentomila annui che gli dava mio padre, per forza che con me è paziente, ma in ogni caso questa mattina alle sette, quando finalmente ho ritenuto l'ora non indecente per telefonare, lui ha risposto senza batter ciglio nonostante sia sabato, tirato giù dal letto ma presente, cortese come se avesse già fatto doccia, barba, colazione. Mi ha ascoltata con pazienza emettendo acconci monosillabi mentre raccontavo della Giraffa, del testamento, dell'esorbitante pretesa di restituzione di buona parte del patrimonio di mio padre, poi è sbottato in una risatina.

"La signorina Ramella! Pensavo avesse desistito. Non si preoccupi, quel documento l'ha scritto lei e la firma è uno scarabocchio qualsiasi."

Cribbio. Le mie medesime parole di ieri notte.

"Ah li conosce? Ramella e testamento?" ho detto, provando d'improvviso un'inedita sensazione fisica, come se il mio sangue, da sabbioso che era, stesse tornando fluido.

"Un foglio protocollo a quadretti conservato in una carpetta? Poche righe battute a macchina? L'interno delle 'a', delle 'e' e delle 'o' tutto nero? Menzione dei fondi e delle azioni Axel, Strike, Merck?"

"Sì, sì," ho urlato nel cellulare.

"Non si preoccupi *di niente*, signora Brivio. È un vecchio caso, già ampiamente affrontato anche per vie legali. Abbiamo acclarato che quel presunto testamento, ammesso che non sia del tutto falso, non ha comunque alcun valore. La signorina Ramella è stata così sprovveduta da apporvi una data in cui a suo padre era già stato diagnosticato l'Alzheimer conclamato."

"Ma davvero? Così cretina?"

"Totalmente cretina."

Io a quel punto mi sono scusata per la telefonata, mi sono profusa in complimenti, ho ricoperto Quintavalle di parole di stima e riconoscenza. Solo quando una placida calma è ridiscesa nella mia testa mi è sovvenuta una cosa e l'ho detta:

"Però cazzo, Quintavalle: se era un vecchio caso risolto poteva parlarmene, di 'sta Ramella. Ieri notte mi ha preso un colpo. Davvero era fidanzata con mio padre?"

Lui si è schiarito la voce ma ha taciuto. Riuscivo a immaginarmelo, seduto sul letto in un pigiama di seta a strisce color porpora e oro, che si lisciava i baffi e arrossiva.

"Sì, va bene, mi scusi. Come se non avessi detto cazzo, d'accordo?"

Quintavalle si è schiarito la voce di nuovo, sul turpiloquio ha sorvolato.

"Erano ordini di suo padre, signora Brivo. Suo padre mi ha sempre raccomandato di non fare menzione della signorina Ramella con lei. Ma ora..."

"Ma ora la signorina Ramella si è fatta ampia menzione da sé," l'ho interrotto. "Che ne dice di lasciar perdere quel che le raccomandava mio padre e di passare qui dopo le undici per ragguagliarmi ben bene?"

Quando ho riappeso, finalmente in pace, mi sono rimessa a letto, ho puntato la sveglia sulle dieci e mezza, mi sono addormentata.

In soggiorno, sul luogo del delitto, ossia seduta nella stessa poltrona in cui ieri notte ho conversato poco amabilmente con la Giraffa, attendo il Quintavalle dottor Gualtiero. Sul tavolo campeggiano i libri inviati dagli autori per la seconda edizione del premio Brivio, devono averli portati Elena e Fanny dallo studio prima che mi alzassi, in vista della stretta sulla scelta del vincitore. Kostanza invece la vedo in ufficio qui sotto, attraverso la finestra specchio. Questa mattina si chiudono le iscrizioni al premio, non credo che si presenterà qualcun altro, lei in ogni caso come ogni sabato è qui. La osservo mentre si lima le unghie e contemporaneamente legge un libro aperto sulla scrivania, un libro dei suoi, niente narrativa, solo saggi, in particolare saggi scritti da scienziati, se è lo stesso di prima che partissi per la Danimarca è la raccolta degli scritti filosofici di Werner Heisenberg. Non ho premuto il pulsante che le fa accendere la spia verdolina sull'interfono, non posso ascoltare quel che succede in ufficio, ma nemmeno Kostanza sa che son qui e la sto osservando. Che importa? Non ha nulla da nascondere, non ho nulla da spiare, lei legge e si lima le unghie perché ha poco da fare, io ne sono ben conscia, la pago perché quel poco sia fatto benissimo e ci va bene così.

I libri inviati al Brivio sono centosettantatré, ottantuno arrivati per posta, il resto portato dagli autori in persona come ha fatto El Panteròn. Sto scorrendo lo stampato della lista preparata da Kostanza, tutti i dettagli utili sono riportati al fianco di autore, titolo, editore. Per lo più si tratta di libri di scrittori rimasti semisconosciuti, pubblicati da piccole case editrici, come del resto *L'odissea di Bernard Kaboré* di mio marito, che non ha mandato il testo ma che sarà il centosettantaquattresimo concorrente. Già rido a immaginarmi il colpo apoplettico che prenderà a Giorgio quando gli scriveremo che il suo libro è stato proposto per il premio dal nostro comitato scientifico ed è in finale, già rido a immaginarmi come gonfierà il petto, il collo, i bargigli, cosa diamine si gonfia ai tacchini quando cercano di impressionarti? Già rido, pure, a immaginarmi quando andrà in piazza all'ora dell'aperitivo e lascerà cadere che è in finale al premio Brivio, sì Brivio come la sua ex moglie ma quella spiantata che c'entra, dirà, è una semplice omonimia, figurati che il montepremi è cinquecentomila. Si pavoneggerà con i suoi tre amici di sempre, il poeta dialettale Aldo Gho, il bibliotecario in pensione Rodolfo Scarabelli, l'insegnante di italiano nonché storico dilettante Sergio Carminati Barbè. Di sicuro ci chiederà di portarseli dietro al premio in un'apoteosi di pavoneggiamento, ma che diamine, nessun problema, faremo recapitare gli inviti anche a loro, non possono di certo mancare testimoni di tale livello alla sua débâcle, anzi sono certa che ridiffonderanno la cronaca della catastrofe per tutta Vigevano con sommo scorno di Giorgio, dunque evviva. Chissà invece qual è il libro che è tanto piaciuto a Elena e Fanny. Tendo a escludere i nomi importanti che attratti dai cinquecentomila si sono iscritti con loro minorissimi vecchi libri, per esempio sicuramente il prescelto delle mie amiche non è *Ventre di vento*, la raccolta di opprimenti racconti di Fausta Palumbo uscita per Anaconda nel 2003, e nemmeno *Zoccoli e salsedine*, un dolente memoir sugli anni d'oro del femminismo della solitamente osannatissima Diletta Garavina, pubblicato da Tempi Cupi nel lontano 2006 e se non ricordo male venduto con una bustina di antiemetico omaggio, perdonate il sarcasmo. Allora sarà forse Gera Cinzani, *Le piaghe*, romanzo d'esordio per i tipi di Epsilon, 2017? Oppure Segreta Ciufè, *Il podere logora chi non ce l'ha*, romanzo-inchiesta in versi sulla mafia agricola lucana, uscito per Caloggero solo un paio di mesi fa? Ne dubito, a meno che le ragazze non vogliano farmi una pur giustificabile burla, dopo le mie antipatiche sortite di ieri sera. Ma il campanello suona, la Gianna apre. Gualtiero Quintavalle e i suoi baffetti sono finalmente qui.

"Signora Brivio..." dice inchinandosi, prendendomi la mano, avvicinandola a non meno di una spanna dalle proprie labbra, evitando accuratamente anche solo il dubbio, da parte mia, che possano davvero sfiorarmi.

"Al vöra bev un quaicòs?" strilla la Gianna, dalla cucina.

"Vuole qualcosa da bere?" traduco io, mentre il mio commercialista e amministratore si siede in poltrona, la stessa dove ieri era seduta la Giraffa.

"Niente, grazie," strilla pure lui.

"Sun mia surda, eh," risponde la cara Gianna, che deve aver già infornato le lasagne, pardon pasta al forno, senti che profumino. Quintavalle, in completo gessato grigio, gilet compreso, sistema la grossa cravatta regimental color blu e bordeaux, accavalla le gambe, poi con grazia si gira verso di me. Ammiro le sue calze che continuano immagino fin sotto il ginocchio, adeguatamente sobrie, a piccoli motivi scuri in tinta con la cravatta, e mi preparo a sapere.

"Da che amministro il patrimonio di suo padre," comincia senza indugi, "e parliamo del duemila, la signorina Ramella lo ha sempre frequentato. Ma poiché suo padre si è rivolto al mio studio solo a partire da allora, su quanto fosse eventualmente accaduto prima non le so dire."

Io annuisco. Con la mano faccio segno forza, avanti.

"Ebbene, ho sempre avuto la chiara impressione che il signor Brivio avesse, con la signorina Ramella, un legame improntato a..." dice Quintavalle, interrompendosi, guardandomi con le sopracciglia lievemente inarcate.

"A...?"

"A un certo qual egoismo," sussurra. "Se posso permettermi."

"Egoismo. Ma certo. Si permetta quanto vuole. Sono un'esperta dell'egoismo di mio padre. Vi si abbandonava oserei dire senza freni."

Quintavalle inarca le sopracciglia di un'altra frazione di millimetro.

"La sua frase preferita, riguardo alla signorina Ramella, le rare volte cui vi faceva cenno, era, e cito virgolettando: 'va presa a piccole dosi'. Non abitavano insieme, lui aveva la villa di Briga che poi abbiamo venduto, lei aveva, e ha tutt'ora, un appartamento che le ha regalato e intestato suo padre, in un bel condominio ma a Brigerbad, periferia ovest della cittadina."

"Quindi non convivevano?"

"Qualche volta lei passava un paio di giorni nella villa del signor Brivio, che io sappia. C'era un ristorante a Brig dove, finché suo padre poteva muoversi, cenavano insieme una volta la settimana. So che, d'estate, trascorrevano un paio di settimane in Costa Azzurra. Da conversazioni che mi è capitato…"

Quintavalle si inclina lievemente verso di me e abbassa la voce

"…che mi è capitato per caso di ascoltare, la signorina Ramella avrebbe voluto una convivenza, anzi, credo che in più di un'occasione abbia accennato al desiderio di una… legalizzazione. Di un matrimonio, a essere precisi."

Io spalanco gli occhi.

"E mio padre?"

"Suo padre, in tali occasioni, le rideva in faccia."

"Ma scusi, Quintavalle, non era la Ramella a occuparsi di lui? A lavarlo, a dargli da mangiare, ad aiutarlo in bagno? Quando è entrato in Alzheimer conclamato, intendo dire."

Questo mi ha raccontato la Giraffa ieri notte. A Quintavalle sfugge una risata.

"Chiedo scusa. È che nei suoi ultimi anni suo padre era seguito da un'agenzia infermieristica specializzata, aveva personale diplomato e certificato che si occupava di lui ventiquattr'ore su ventiquattro, mentre la signorina Ramella, ecco… ronzava nei dintorni, se così posso dire. Ronzava con grave effetto di disturbo."

"Ronzava?"

"Ronzava, punzecchiava, infastidiva come i tafani."

"Tafanava. Termine bianciardiano che rende perfettamente l'idea."

"Tafanava," riprende Quintavalle, il cui sguardo vagamente interrogativo suggerisce che in realtà Luciano Bianciardi e *La vita agra* non li abbia mai sentiti nominare. "Tafanava e litigava. Per esempio facendo proposte di migliorie improbabili alle cure, raccomandando l'acquisto di attrezzature per infermi di cui aveva visto la pubblicità in televisione, suggerendo ai paramedici l'applicazione di tecniche di massaggio di cui si dichiarava esperta, grazie a corsi che vagheggiava di aver frequentato."

"Ne ha fatto uno anche di ju-jitsu," sbotto, ridendo.

"Non mi stupirebbe, magari per corrispondenza," dice

Quintavalle, ridendo pure lui. "Di fatto, 'tafanava' così tanto che spesso arrivavano lamentele dall'agenzia e il personale chiedeva di essere affidato a un altro infermo. Era una che sapeva tutto lei, ha presente il genere?"

"Ho presente sì, è uno sport in cui anche mio padre eccelleva."

Quintavalle arrossisce, si guarda le stringhe, tace. Immagino che per lui sia troppo ammettere questo della persona per cui ha lavorato sedici anni. Poi rompe il silenzio con un suono smorzato, come di labrador che sbadigliasse dalle parti di via Cesare Correnti.

"Aggiungo che finché è stato cosciente suo padre passava alla signorina Ramella un mensile di cinquemila franchi svizzeri, in contanti."

"Cinquemila?" esclamo, spalancando ancora di più gli occhi. Cinquemila al mese alla Giraffa dal duemila al duemilasedici, gli stessi anni nei quali con meno della metà di quei soldi vivevamo attenti a ogni spesa io Monica e Giorgio? Gli stessi anni nei quali dopo, io, separata, divorziata, a volte facevo letteralmente la fame, in balia di bibliotecarie avare e editori peggio ancora?

"Confermo cinquemila. Glieli davo io in persona, salivo spesso in Svizzera e da suo padre avevo mandato di gestire le piccole spese in contante. Ho continuato a darglieli finché il signor Brivio è stato vivo, visto che non mi aveva mai detto di sospenderli. Dopo, però, la proprietà è passata a lei e giocoforza ho cessato l'erogazione."

In effetti ieri sera la Giraffa ha pianto miseria. Evidentemente io ho recitato benissimo la mia parte di ereditiera disinvolta e sprezzante, oppure il tentativo con il falso testamento era disperato, nato morto, con lei consapevole della nullità del documento, giacché la Giraffa ha attaccato a piangere vere lacrime quando io ho riso delle sue pretese. Seduta qui, nella stessa poltrona ora occupata dal Quintavalle dottor Gualtiero, stringendosi al petto le braccia infagottate nel soprabito rosso fuoco che da vicino rivelava scuciture e usura, con quei piedi numero quarantatré che strascicava per terra dentro le Superga scalcagnate, la Giraffa frignava, lamentando abbandono, solitudine, indigenza dopo la morte di mio padre, nonché quindicimila franchi di spese condominiali svizzere arretrate e di conseguenza un procedimento giudiziario in arrivo.

Ieri sera ammetto di essermi impietosita. Lei piangeva, io le ho staccato un assegno da trentamila euro, sebbene forse, ammetto pure questo, anche per tenermela buona, perché mica ero davvero convinta che il presunto testamento fosse senza valore. O forse, aggiungiamo pure quest'altra ammissione, le ho staccato l'assegno per assicurarmi che la scultura di César me la riportasse davvero, anche se, a proposito, io la sto ancora aspettando, mi ha garantito che sarebbe tornata con il pezzo oggi, entro sera, ma per il momento non si è visto ancora nessuno. Però non dico niente al Quintavalle, sono affari miei, preferisco invece chiedergli una cosa che proprio non riesco a capire.

"Che cosa ci trovava mio padre in quella lì?"

Lui allarga le braccia, scuote la testa, sospira.

"Quale particolare qualità di una donna attragga noi uomini, e ciascun uomo peraltro in misura e modi anche incredibilmente diversi, rimane un insondabile…"

Si ferma, lancia un'occhiata alla porta-finestra che dà sul giardino.

"Un imperscrutabile…"

Si ferma di nuovo, questa volta addirittura si alza, in quattro passi veloci è alla porta-finestra, per qualche istante osserva e basta, poi si gira verso di me.

"Signora Brivio, c'è un tale che si sta arrampicando su un albero del suo giardino."

Poi ecco di nuovo quel suono lontano, smorzato, come di labrador che sbadigliasse dalle parti di via Cesare Correnti.

"Signora Brivio, nel suo giardino ci sono anche due donne nude."

8.

La caduta della pantera

Aggrappato a uno dei cipressi che circondano il giardino c'è El Panteròn, in questo momento lontano anni luce, anzi Parsec, dalla sua presunta somiglianza con un felino, aggrovigliato com'è in una posa precaria, storta, insomma abbracciato al tronco, i sandali che pedalano sbucciando il fusto del cipresso senza trovare presa, falciando i rami più piccoli, scagliando giù frammenti di corteccia, lui intanto sbraitando affannate cose.

"Can del porco, del porco di un can, del porco di un diesel."

La Gianna, allarmata dal frastuono, affacciata alla portafinestra della cucina, sul diesel si fa il segno della croce ma guarda e basta, non osa metter piede in giardino, anzi ora che si è segnata richiude veloce il telaio scorrevole della finestra e accenderà un cero, immagino, a difesa dal sacrilego animalesco essere che sta invadendo la mia proprietà. Essere che ora finalmente annaspando riesce a pedalare qualche spanna più in su, trova una presa migliore, guadagna un metro, così raggiunge la cima del cipresso, il che è un errore, la cima è anche la parte dove il tronco è più sottile, flessibile, mentre lui è grosso, pesante, ecco infatti il noto scrittore vicentino strillare perché l'albero s'incurva verso il basso, i sandali perdono contatto, El Panteròn rimane appeso con le sole mani, si spenzola, mentre le gambe ancora pedalano ma adesso nel vuoto a un paio di metri dal mio bel prato all'inglese.

"Una sedia, una scala, un tavolo! Una qualche cosina che mi favorisca l'appoggio, le mie belle signorine statuine di sale, diesel cagnasso, aiuto!"

"Uno, non bestemmi!" s'adonta Gualtiero Quintavalle, che insieme a me ha raggiunto le mie due nude, stupefatte amiche nel giardino. "Due, questa è una proprietà privata e lei sta commettendo violazione di domicilio."

"Il diesel è nel senso del motore, baféto!" urla, anzi geme l'autore del bestseller *Sette cadaveri attorno a una mazza di tamburo.* "La violazione l'è un tragico errore, mi perdoni il signor bafo che conquista. Invece di accusarmi di omicidio, mi darebbe un aiutino?"

"Piacere, Elena Beltrami," dice la mia amica ignorando El Panteròn, alzandosi maestosa dalla sdraio con la regale indifferenza che contraddistingue la gestione del suo corpo nudo.

"Quintavalle, lieto," risponde il mio commercialista, stringendole in fretta la mano, risparmiandole inchino e finto bacio, con una donna svestita in effetti non è il caso, la guarda anzi solo per un istante e negli occhi, poi dirige lo sguardo via, per terra, evitando d'inquadrare anche solo un centimetro quadrato di pelle nuda.

"Aiuto!" schiamazza intanto Daniele Castagnèr.

"Piacere, Fanny Moschino," dice invece l'altra mia amica ignorando lo scrittore pure lei, pure lei adesso in piedi ma ingobbita, gli occhiali ben inforcati, il libro che le fa da scudo al pube, salutando con un piccolo cenno del capo il Quintavalle e niente mano, nemmeno ci pensa a dargliela, lei che con il proprio corpo nudo è a suo agio solo se ci siamo io e Elena o al massimo la Gianna.

"Qui va tutto in mona, no g'ho più resistensa," gorgoglia El Panteròn, stremato. Emette un ultimo strillo disarticolato, poi con un rimarchevole tonfo piomba a terra.

"Casso, ahia," dice. Le imponenti membra rigonfie sono come spiaccicate a terra, le gambe a squadra mentre, supino, con una mano si massaggia un fianco. Non oso muovermi, non oso toccarlo: e se gli spostassi una vertebra, gli causassi un'emorragia, innescassi una paralisi? Elena invece va, nuda com'è si mette in piedi a gambe divaricate sopra lo scrittore, gli dice dai su forza, gli tende una mano, lui gliel'afferra e lei, arretrando, i quadricipiti delle cosce titaniche tesi per lo sforzo, lo tira in piedi.

"Stai bene?" gli chiede. Lui la fissa mentre si massaggia la schiena con ambo le mani e barcolla, ma lo vediamo tutte che sta benissimo, che non si è fatto un bel niente, altro che paralisi, anzi la fissa occhiuto nella luce intensa di questo mezzogiorno di primavera, studia la mia amica dalla punta dei capelli alla punta dei piedi diresti scientificamente, come al microscopio, senza pudore.

"Sei Elena?" chiede. "La Beltrami?"

"Premio Scaffaletto duemiladue, sì."

"Eh, ma allora un abbraccio ci vuole o no, mia bella signora Elena? Noi che ne abbiam passate di brutte insieme, noi che l'è stata una bella guerra, quella volta lì."

Questo dice El Panteròn, mentre lasciandoci esterrefatti abbraccia Elena che, confermo, è tutt'ora completamente nuda e che, sportivamente, gli assesta qualche pacca sulla schiena.

"Sei ancora più bella, la mia signorona," dice rimirandola, allargando le braccia con i palmi delle mani rivolti verso la mia amica come per evidenziarne la maestosità. "Il tempo l'è stato un signore con te. Con me, can del porco, un mascalzone."

Elena dice grazie e basta, incrocia le braccia, gli concede appena un sorrisino.

"Ha perso questo," dice Gualtiero Quintavalle, raccogliendo un vecchio pettine bisunto, sfuggito di tasca a Daniele Castagnèr nella caduta.

"L'è ben lei il patròn del premio, vera?" dice lo scrittore vicentino mentre con il pettine ravvia i capelli biondi in modo artatamente casuale, una ciocca a destra, una verso il cielo, un'altra sugli occhi. Poi dà la mano a Quintavalle.

"Mi perdona che l'ho chiamata baféto, prima? L'era un'emergenza, mi capirà, tra uomini una maschietta parola d'ironia ci può anche scappare nel mezzo del pericolo, digo bèn? È un piacere conoscerla, anzi che digo: un onore. L'iniziativa l'è belisima, richisima, preziosisima. Il premio, eh. Cinquecentomila, digo bèn? Osigeno, per un povero scrittore negli anni brutti della crisi."

Quintavalle sa tutto del Brivio, il mio amministratore e commercialista mi ha aiutato con la parte legale e fiscale, con le rotture immani della burocrazia ha fatto tutto lui. Quintavalle sa anche che io non mi faccio vedere, che la mia ricchezza deve rimanere ignota, che nessuno deve sapere che dietro al premio c'è la scarsamente nota autrice Sara Brivio. Quintavalle stringe la mano dello scrittore veneto e gli risponde con un sorrisetto enigmatico.

"Ah niente? Informasione riservata?" dice El Panteròn, facendogli l'occhiolino. "O le patronèse sono queste altre due signore belle allora?"

Dà la mano a Fanny, spandendo verso di noi una nube all'aroma di fagiano.

"Piacere, Daniele Castagnèr, scrittore."

"La conosco," sussurra la mia amica, mentre El Panteròn le tiene la mano nella sua e la guata, prima con gli occhi negli occhi, poi lasciando spudoratamente scendere lo sguardo fin sui peli pubici fulvi, strabordanti oltre il libro di Fanny. La mia amica arrossisce.

"Sa," flauteggia, "scrivo anch'io."

Io, Elena, persino Quintavalle la guardiamo sbalorditi. Ma che fa, che dice? Distanza, aria, sprezzo ci vuole, non questa roba.

"Siamo colleghi allora, la mia bella signora tuttanuda. E come la si chiama? Che magari ho letto un qualcosolina di suo."

"Fanny," sussurra lei, la mano ancora trattenuta da quella del Panteròn. "Fanny Moschino."

"Eh ma sì, la Moschino, certo che la conossi bèn!" dice El Panteròn, liberandole finalmente l'arto per allargare le braccia in segno di giubilo. "È la bella signora uscita con la Mondadori e la Bompiani, con dei romanzini ben preziosi. *La banda dei krapfen* e *Zie che ammazzano cugini*, digo bèn?"

"Racconti. *Il club delle brioche* e *Zie contro nipoti*," risponde lei, abbassando lo sguardo.

"Krapfen, brioche, le chiedo scusa, ma son tutte cosettine dolci come l'è dolce lei, Fanny."

Elena scuote la testa e dice qualcosa di inaudibile, Quintavalle mi guarda pietrificato, Fanny invece si schermisce, cosa che mi procura una fitta allo stomaco. Daniele Castagnèr fa un libro l'anno, identico a quello dell'anno precedente, con le copie che vende sono cinquantamila euro garantiti anzi facciamo anche settantamila, poi le presentazioni se le fa pagare minimo seicento euro, me lo diceva la bibliotecaria di Vigevano che ha sempre cercato di invitarlo a meno, budget massimo trecento, offerta che lui sistematicamente declinava. Castagnèr vive in una baita ristrutturata che gli ha regalato una lettrice abbagliata dal suo talento di princisbecco, una baita in Val D'Astico, scrivo baita ma leggete pure villa, è un posto magnifico, due piani, terrazza, vista, dicono idromassaggio. Per i vestiti è evidente che non spende un euro dagli anni settanta, per il parrucchiere nemmeno, vien facile immaginare che non si sveni neanche per i prodotti destinati alla toilette personale, dice di mangiare pane e formaggio, zucchine, rape e, parole sue, qualunque cosa significhino, "altre verdurine del mio orto ad altisimo carico spirituale". Poi non usa la macchina, dunque niente benzina, bollo, assicurazione, si fa scarrozzare in taxi a carico di chi lo invita, a questo insomma non dico che escano i soldi dagli occhi ma di certo tra gli scrittori è uno che sta più che bene, eppure è qui a adulare untuoso dopo che ha rischiato la vita arrampicandosi sul mio cipresso, e per cosa? Per ammirare due donne nude o piuttosto per farsi notare, entrare, conoscere chi c'è dietro il premio del mistero e dunque meglio compiacerlo, come compete alla sua valutazione da un Cùlec pieno?

"E lei chi è, la mia bella signora?" dice rivolgendosi infine a me, squadrandomi, io vestita con pantaloni, camicetta, solito cardigan di cotone contro l'ultimo fresco del mattino, io con le ballerine, io secca, io con il mio sedere che pare un sacchetto dell'umido con dentro due pompelmi e il seno sgonfio, pendulo come una ciabattina.

"Io sono del catering," invento squadrandolo a mia volta, dirottandolo lontano dal possibile ricordo del premio Greppo D'Oro, dal mio nome, da tutti i possibili collegamenti dicendo questo: "L'ho già vista da qualche parte? Può essere qui in giro, giorni fa? Lei con una busta da consegnare?".

"L'è bel'e prunt!" urla la Gianna dalla cucina. "L'è ancùra lì l'anticrist?"

E l'anticristo – chissà se ha capito che si parla di lui – è ancora qui ma c'è Gualtiero Quintavalle che ora gli dice che è tardi, che le signore hanno un pranzo che le aspetta, che noi si mette una pietra sopra all'incidente se lui promette di rispettare la privacy della casa. Gli posa una mano tra le scapole, con fermezza lo indirizza al cancello del giardino, mentre le mie due amiche finalmente s'infilano un benedetto accappatoio e salutano con la mano e un arrivederci El Panteròn che se ne va, che lancia loro un bacio, che dell'arrivederci non può riconoscere l'ironico sapore.

9.
Cetrioli

Quando il mio commercialista è andato e io finalmente siedo a tavola, la pasta al forno è già nel piatto però le mie due amiche non hanno ancora iniziato. Elena e Fanny mi stanno aspettando con davanti questa meraviglia intatta, hanno solo sgranocchiato un grissino, una fetta di salame, una cipollina dal vassoio che la Gianna ha messo in tavola come antipasto. Si sono versate del vino, si sono preoccupate di versarlo anche a me che quasi mi commuovo per questa gentilezza, questa attenzione che di solito non abbiamo, perché ognuna si siede a tavola quando vuole e mangia come le pare, niente formalità, siamo amiche da vent'anni, viviamo insieme da uno e mezzo, niente minuetti, no? Fanny guarda prima Elena, poi guarda me, poi addenta un grissino e ride chioccia tutta da sola, quasi si soffoca, tossisce, in un'ulteriore possibile indicazione di QI deficitario. Anche Elena però scoppia a ridere mentre guarda me e Fanny, poi smette facendo schioccare la lingua sul palato, prende il bicchiere, beve il vino d'un fiato, posa il bicchiere. Lo riempie di nuovo, rotea gli occhi, li alza al cielo. Io osservo tutta la pantomima. Alla fine, con le dita a grappolo faccio quel gesto che significa: e alùra?

"Abbiamo una notizia," dice Fanny. Fa una pausa studiata prima di continuare.

"Tu lo sai perché El Panteròn se la ricordava così bene, la nostra cara Elena?"

Di nuovo ridacchia, io invece cerco di rimanere impassibile, di non sbuffare, avrei voglia di dire a Fanny no che non lo so, smettila, spiegamelo. La mia amica agita una mano come per farsi aria, beve un sorso d'acqua.

"Perché Elena, con El Panteròn, al premio Scaffaletto ci ha fatto sesso. Ecco perché."

Poi riparte con la risata chioccia ma anche Elena ride, insomma perlomeno sorride, si nasconde la faccia tra le mani e incredibile ma vero, prima volta da che la conosco, arrossisce.

"Che vergogna," dice.

"Che figura," dice anche, stropicciandosi la faccia con le mani, e confesso, adesso pure a me viene da ridere. Ma come? Sono anni che prendiamo per i fondelli El Panteròn, è il simbolo di tutto ciò che detestiamo nell'inverecondo giro dell'editoria italiana, quello delle tramine, dei favorini, delle vicendevoli fellatio e del successo di non talentuosi tromboni che scrivono pensierini stucchevoli credendoli pregni di significato quanto una pagina di Kant. Andiamo, è l'uomo da 1,0 Cùlec, e la definizione l'ha tirata fuori proprio lei! Finalmente stiamo cospirando per inferire un colpo di violenza inaudita all'autostima del Panteròn ed Elena ammette che sì, ci è andata a letto? Cara amica, questa è comicità pura.

"A me al Greppo D'Oro non ha nemmeno stretto la mano," metto in chiaro. "Però Elena…"

Guardo la mia amica: tutto questo fa *molto* ridere, ma la rivelazione rimane uno shock.

"Cosa ti era saltato in mente?"

Lei si stringe nelle spalle.

"E che importanza ha? Uno più, uno meno. Era il periodo in cui andavo sui cinquanta l'anno, se calcoli faceva uno a settimana, in quella ero ancora a zero e lui insisteva tanto. Ma proprio tanto. Era un tale leccaculo…"

Così dice, con dei risolini che le scappano via dalla bocca e dal naso come sbuffi di vapore.

"Poi fai conto che erano anche sedici anni fa," riprende a dire. "Considera che non era l'autocisterna che è adesso. E poi c'era la curiosità di capire cosa ci trovavano le signore dalle parti di Vicenza. Le lettrici infoiate, no? Come quella che gli ha regalato una baita."

"E cosa ci trovavano?" facciamo io e Fanny, come una donna sola.

Elena prende un cetriolino dalla ciotola dei sottaceto. "Questo," dice. "Dimensioni, ma anche forma analoghe."

"Però non era verde, spero," dice Fanny.

Ridiamo tutte insieme.

"Ma la cosa della pantera?" chiedo. "Tu l'hai capito perché El Panteròn? A letto ruggisce?"

"Ma figurati, minimo sindacale. Ovvio che gliel'ho chiesto del soprannome, ma non me l'ha mica voluto spiegare, 'l'è il mio picolo segreto' ha detto il mentecatto."

"Segreto che gli fa un sacco gioco," dico io, prendendo un cetriolino, osservandolo contro luce. "El Cetriolìn non gli gioverebbe altrettanto, no?"

"E alùra, l'è stciupà la ridéra?" tuona la Gianna dalla cucina, mentre qui sghignazziamo come sceme e la sentiamo caricare il carrello dei bolliti.

Poi l'abbiamo mangiata quell'eccellente pasta al forno e pure il bollito misto per secondo, con la salsa verde, anzi per meglio dire al bagnét, di contorno purè, bisogna capire che per la Gianna non esistono piatti estivi e piatti invernali, non esistono menu pesanti e menu leggeri, vale sempre tutto. Le mie amiche nel pomeriggio scriveranno nude in giardino, beate loro che ci riescono, io nemmeno ci proverò, io invece, nuda, leggerò. Eccolo qui il libro che secondo loro deve vincere il premio Brivio seconda edizione, avevo ragione, è proprio un piccolo editore, il romanzo è uscito l'anno scorso per La Buon Corsiero, in libreria non l'ho visto, non l'avevano visto nemmeno loro, ma chi ha più tempo, chi ha più voglia di entrare nelle poche librerie che ancora tengono i piccoli editori e spulciare lo scaffale dedicato, alla ricerca di quella singola perla su dieci che merita una lettura?

"Questo al premio è arrivato per posta, meno male che l'abbiamo letto," han detto le mie amiche alla fine del pranzo, terminate le risate, le fronti improvvisamente corrugate, loro totalmente comprese nel ruolo di giurate, desiderose di tornare nel serio, Elena forse desiderosa soprattutto di far passare in secondo piano la sua avventura con El Panteròn. Il romanzo è di una esordiente, Marina Breno, si intitola *Terno al lotto*, inizia così:

"Dopo essermi fatta tagliare i capelli da New Style 2000 su Madison Avenue, venni investita da un'auto".

Mi è subito sembrato un incipit alla Tama Janowitz, anche le mie amiche hanno pronunciato quel nome magico, Tama Janowitz, anche loro avevano avuto immediatamente la mia stessa impressione, e oggi in giardino, sedute sotto il salice dopo pranzo aspettando il caffè, mi hanno spinta, mi hanno detto vai avanti, vedrai come continua, questa è Tama Janowitz pura, è anche ambientato a New York anche se lei in realtà vive in Liguria, ma che importa, tu leggi e vedrai se non è questa la vincitrice del Brivio seconda edizione.

"Io però ho la mia shortlist di favoriti, ricordate che ve ne ho già parlato?" ho detto, con l'umore che già volgeva al nuvoloso. Loro hanno subito fatto una faccia che più che altro ricordava un muso, io ho subito alzato gli occhi al cielo. Il che mi ha dato un'ottima idea: dopo il caffè ho salutato, preso il libro, preso anche qualche ricambio su in camera e la macchina da quel cretino del garagista, poi sono filata a Malpensa e sono partita, via, in aereo, nel cielo sopra Milano, che oggi era di un bell'azzurro intenso, lo stesso della copertina della Breno.

10.
La camera beige

Sì perché a dirla tutta, nervosismo a parte per il tentativo di imposizione delle mie care amiche, dopo il caffè mi era rimasta non fame ma desiderio di qualcosa di dolce, esattamente cioccolato, invece la Gianna disponeva solo di crème caramel. Lo so che fa un po' tizia della pubblicità anni ottanta Ferrero Rocher, ma che ci volete fare, la Austrian Airlines disponeva di tre posti in business uno di fianco all'altro sul volo delle 16:30 destinazione Vienna, li ho acquistati tutti e tre così ho volato comoda, poi ho preso un taxi, sono scesa al Grand Hotel Wien, alla reception ho chiesto una camera qualsivoglia purché genere suite, luxury, il prezzo non importava ma lo spazio e le comodità sì. Il receptionist, risparmiandomi l'imbarazzo del mio inglese da liceale vigevanese, mi ha proposto in un italiano ragionevole le possibili scelte schiarendosi la voce, arrossendo lievemente mentre di ogni camera mi comunicava il costo per notte, finché è arrivato alla scelta più cara, Suite Deluxe, euro duemilacento. "Bene questa. Quattro notti," ho detto. "Ecco la carta."

Lo so come va, meglio dare sempre la carta di credito subito, controlleranno se la tua Visa è abilitata alla spesa prevista e quando vedranno che sì allora si tranquillizzeranno, ci sarà un percettibile mutamento nel loro atteggiamento, da neutro tendenza sospettoso a deferente, perché non c'è un marchio che ti iscriva al novero dei ricchi, non esiste un'allure riconoscibile, non ci sono vestiti o accessori-chiave, è la carta che conta, è la conferma alla richiesta di autorizzazione che apre ogni porta. Il totale per quattro notti faceva ottomilaquattrocento euro inclusa colazione, tassa di soggiorno e non so quale altra diavoleria austro-ungarica, ma chiaro che la disponibilità c'era, potrei comprare l'intero hotel se mi girasse il ghiribizzo. Il ragazzo mi ha sorriso e mi ha dato la chiave della camera.

"Le chiamo un valletto per le valigie."

Da Milano mi sono portata solo un borsone, il valletto comunque mi stava bene.

"Fantastico. Grazie per il valletto. Ma sa perché sono venuta a Vienna?" ho detto al receptionist. L'ho fissato negli occhi, non ha risposto, non ha abbassato lo sguardo, ha fatto solo di no con la testa. Era un bel ragazzo di nemmeno trent'anni, moro, con la pelle olivastra, non italiano visto l'accento, allora forse spagnolo o sudamericano. Ho messo due banconote da cento sul piano della reception, lui ha fatto un saltino all'indietro, il suo sguardo si è riempito del fumo del dubbio, a me è scappata una risata: ma questo cosa va a pensare?

"Per mangiare una bella Sacher strapiena di cioccolato," gli ho detto. "Bastano duecento euro per trovare una Sacher? La migliore Sacher di Vienna?"

"Signora, posso consigliarle una fetta dal bar? La nostra Sacher è ottima. Però non è *esattamente* la Sacher originale, questa la confezionano i pasticceri della nostra brasserie, la Sacher vera la vendono solo all'Hotel Sacher, c'è il copyright, dunque noi non possiamo..."

"Non potete?" Ho messo un'altra banconota da cento sul piano, anzi nel piatto come in una partita a poker, solo che lì non stavo bluffando, era tutto sul tavolo, lo stavo semplicemente comprando. "Davvero lei non può andare o mandare qualcuno a questo fantomatico Hotel Sacher, comprare una torta intera per la qui presente signora Sara Brivio e portarmela su in camera?"

"Non capisco fantomatico."

"Lasci perdere fantomatico." Ho aggiunto un'altra banconota. "Neanche così?" Eravamo arrivati a quattrocento euro. Il ragazzo ha osservato la somma per un lungo istante, poi ha annuito una sola volta, ha intascato i soldi, ha chiamato il valletto, gli ha fatto prendere il mio borsone Gucci, totalmente da vigevanese coi danè però bello da piangere, siamo saliti in camera, per non saper né leggere né scrivere ho piazzato un cinquanta pure al valletto e ora sono qui seduta che sto aspettando. Il ragazzo moro della reception ha detto: "Torta Sacher: mezz'ora".

La suite consta di oltre centocinquanta metri quadrati, sono tre locali più il bagno, il gusto è terrificante: tutto un finto ottocento certamente di ottima fattura ma contemporaneo, potrebbero anche averlo fabbricato a Cantù, tutto un velluto beige, un raso caffelatte, un marmo venato nocciola, tutto un tendaggio pesante con i cordoncini e le nappe, il letto a baldacchino, c'è pure un caminetto, funzionante almeno stando al ragazzo della reception, in effetti ecco laggiù della legna, meno male che almeno il bagno è moderno, una piazza d'armi ma in ogni caso tinta marrone chiaro, con la vasca-idromassaggio incassata color avana, mi soccorra Arbasino, perché signora mia, tutto questo beige.

Ho preso *Terno al lotto*, ho accostato una seggiola beige alla finestra addobbata di tende beige, qui sotto c'è il "Kärntner Ring", avrei sperato meglio come vista, d'altronde se non ho capito male il Ring non è altro che una specie di circonvallazione centrale, avrei dovuto scegliere un hotel in una posizione più pittoresca, colpa mia, ma almeno il panorama non è beige. Pagina uno della Breno invece è fitta di nero su bianco e leggerla mi ha fatto pensare che Elena e Fanny potrebbero anche avere ragione. Non era Christopher Isherwood, forse in *Ottobre* o forse in *Christopher e il suo mondo*, che diceva che alla sua età, la terza, che adesso è la mia, un libro lo abbandonava alla prima pagina o lo continuava non per quello che raccontava, ma per il tono? Ecco, per me vale la stessa cosa, e qui il tono c'è.

Il romanzo è ambientato a New York nel duemila, per l'esattezza a Manhattan. C'è una famiglia di due genitori e una figlia, abitano in un loft dalle parti di SoHo, nella zona dove Jay McInerney ha immaginato il loft di Russell e Corrine, i protagonisti della trilogia *Si spengono le luci, Good life, La luce dei giorni*. Il marito lavora in una casa editrice come Russell, la moglie è un'artistoide che confeziona cappelli artigianali come fa invece Eleanore in *Schiavi di New York* della Janowitz, e c'è anche subito, proprio qui in questa prima pagina, che colpo al cuore, il custode dello stabile del loft che si chiama Patrick Bateman, così che in poche righe la Breno ha citato l'intero Brat Pack della letteratura americana. L'io narrante è Selene, la figlia della coppia, una ragazza di diciassette anni, e il tono è Tama Janowitz pura: Selene è goffa, bruttina ma generosa di sé, i compagni di scuola e gli amici se ne approfittano, le succedono guai ma non se ne lamenta, non si abbandona all'autocommiserazione, la Breno racconta come se lei nemmeno si accorgesse, come se Selene fosse protetta da un'armatura di svagata rassegnazione, d'incoscienza, forse persino di maldestra stupidità, tanto che a me, leggendo, ogni tre righe scappa da ridere. D'altronde l'abbiamo detto che inizia così:

"Dopo essermi fatta tagliare i capelli da New Style 2000 su Madison Avenue, venni investita da un'auto".

Continua con Patrick Bateman, il custode, che quando accoglie Selene di ritorno dall'ingessatura in ospedale le notifica che l'ascensore è di nuovo guasto, che dunque per salire al loft deve prendere le scale, dove voci di condominio dicono sia accampato da giorni un numero imprecisato di clandestini portoricani penetrato abusivamente nello stabile, la polizia non ha mai preso sul serio le chiamate degli inquilini, mai fatto nessun controllo, e lui, Bateman, in ogni caso non può accompagnare Selene per via della recrudescenza di una pubalgia, dunque la ragazza deve salire da sola.

Ma evviva la risata. Se devi raccontare un dramma, dico io, ridici su, sdrammatizza, tanto il dramma narrativamente rimane tale anche se al lettore lo ammannisci senza inzupparlo nel dolore. Questa è la cifra mia, di Elena, di Fanny, se c'è una cosa che detestiamo sono le scrittrici e gli scrittori con il mal di testa, con il groppo in gola, con la fronte aggrottata per l'intrascendibile angoscia, quelli che ti raccontano cupi della gravidanza interrotta sotto i ferri di una mammana, del suicidio del padre causa tumore incurabile, del cane investito dal furgone nel giorno del proprio dodicesimo compleanno, celebrato tra l'altro senza manco uno schifo di torta perché mamma e papà avevano perso da mesi il lavoro. A proposito di torta, bussano. Vado ad aprire la porta trapuntata in raso beige, sono passati ventotto minuti, la Sacher è arrivata.

Al tavolo della stanza-soggiorno della suite, un tavolo in marmo sui toni, vi lascio indovinare, avete indovinato, del beige, ho il libro della Breno squadernato davanti. Piatto e sottopiatto sono di porcellana antica, entrambi con impresso il nome dell'hotel in svolazzi, santo cielo, beige, i tovaglioli sono di lino, la posateria in argento, una brocca piena d'acqua e due bicchieri sono in cristallo, nota bene che tutto questo parafernalia mi è stato portato dal valletto senza che io ne avessi fatto richiesta. Assaggio la Sacher e la trovo buona. Non eccezionale, memorabile, indescrivibile: semplicemente buona. Essere venuta qui a Vienna con tre sedili business class, aver bruciato quattrocento euro per la Sacher e averne investiti ottomila per la Suite De Luxe costituisce in effetti un gigantesco capriccio, che mi rende una donna apparentemente peggiore della famosa tizia dei Rocher.

"L'è propi smorbia," mi dice spesso la Gianna, dove con smorbia a Vigevano intendiamo un ibrido tra viziata e schizzinosa. Mangio mezza fetta di Sacher, la voglia di cioccolato è già esaurita. Mentre la torta perde d'interesse io telefono alla reception per farmi mandar su un succo di mela, temperatura cantina, non ambiente, non frigo, ho detto cantina, l'acqua non mi va e sono smorbia, è proprio vero. Lo sono sempre stata persino in condizioni di indigenza dopo il divorzio da Giorgio, figuriamoci ora. Un anno e mezzo fa mi ero sentita terribilmente smorbia quando mi ero appena trasferita nella mia nuova casa alle Cinque Vie, avevo appena preso i primi quadri, avevo appena assunto la Gianna. Dopo la separazione ero sopravvissuta a stento facendo tutto da sola, lavorando anche di notte, da una settimana invece era lei che faceva la spesa, che teneva in ordine la casa, che mi preparava esuberanti piatti lomellini, mentre io passavo il tempo seduta in biblioteca a leggere e rimirare il foliage del giardino, che stillava umidità nel novembre milanese. L'avevo chiamata su da me.

"La disa, sciura Brivio."

"Quanto le do al mese, Gianna? Me lo ricorda per cortesia?"

"A mi? Milevotcent, parché?"

"Da oggi passa a tremila."

La Gianna mi aveva guardata allibita. La Gianna, quando abitavo in via dei Mulini con Giorgio e mia figlia Monica, per un brevissimo periodo, la seconda metà degli anni novanta, quando erano usciti i miei primi libri, facevo presentazioni, le biblioteche pagavano bene gli autori e dunque mi entrava nelle tasche quasi un ragionevole stipendio, la Gianna l'avevamo presa a fare le pulizie in casa un paio di giorni alla settimana. Io la conoscevo da un pezzo perché veniva a tenere in ordine in casa dei miei negli ultimi mesi, quando mia madre stava male, dunque sto parlando di qualche anno prima rispetto a quando veniva da noi, ecco, il novantadue, la mamma era morta per la precisione nel dicembre del novantadue, dunque esatto, proprio lo stesso anno in cui l'altro genitore, quello escrementizio, se n'era andato scomparendo nel nulla mentre, pure, nasceva mia figlia, e santo cielo lo so che sembra un romanzo di Fausta Palumbo, chiedo venia, ma vi prego di notare che almeno, come mi si addice, ci sto ridendo su. Anche la Gianna ha avuto i suoi bei problemi da romanzo-invito-al-suicidio stile Palumbo, una figlia che per deficit nel bilancio famigliare non ha potuto fare l'università anche se alle scuole superiori era la più brillante in fisica e chimica, poi due nipoti, gemelli, che nel periodo in cui io mi ero trasferita a Milano stavano rischiando esattamente la stessa fine. Ebbene la Gianna mi aveva guardata allibita per il subitaneo aumento di stipendio, tremila euro al mese anziché i pur buoni milleotto che le aveva proposto il Quintavalle quando aveva steso il suo contratto. Non trovava parole. "E i so nvud?", i suoi nipoti, le avevo chiesto, in dialetto per un afflato di vicinanza. Era novembre, l'anno accademico era appena iniziato, sapevo che i ragazzi in giugno avevano fatto la maturità uscendo con il massimo dei voti. "I fan giamò l'üniversità?" ero andata avanti a chiedere. Macché. L'università è cara, due ragazzi da iscrivere insieme era semplicemente fuori discussione per la famiglia. I suoi due nipoti d'estate avevano lavorato in nero come camerieri in una pizzeria di Vigevano, giù a Ticino, mi aveva spiegato la Gianna, i proprietari erano stati contenti, così adesso avevano fatto un contratto di un anno a tutt'e due. Avevo scosso la testa.

"Settembre dell'anno prossimo si iscrivono a Pavia, pago io le tasse. Pago io un appartamento. Se vogliono continuare ad abitare a Vigevano gli compro una macchina. Pago io anche le spese di vitto, Gianna, i libri, il computer, tutto quello che serve. Gli do anche un piccolo stipendio mensile, ci facciano quel che vogliono, perché non è che si può studiare e basta, l'importante è che studino con comodo, che studino bene, senza dover fare lavoretti magari per coprirsi le spese del weekend o delle vacanze. Glieli do io quei soldi lì, non si facciano problemi, eh, sul serio Gianna, va bene? Mi farebbe proprio piacere. Purché tengano alta la media dei voti."

La Gianna mi aveva guardato ancor più allibita.

"Dabùn?" Cioè davvero. "Ma parché?"

Mi ero stretta nelle spalle. La risposta era perché mi andava e non mi costava praticamente nulla. Mantenere agli studi i due gemelli richiedeva in proporzione tanto quanto nella mia vita precedente comprare un libro una volta al mese. Mi andava, anzi diciamola tutta, mi faceva sentire meglio. Così come mi aveva fatto sentire meglio anche dare mandato al Quintavalle, più avanti in quella stessa settimana del mio primo novembre milanese, di regolarizzare un versamento mensile cospicuo, e per cospicuo intendo *cospicuo*, a una casa-famiglia di cui, miracolo avesse fatto qualcosa di utile, mi aveva parlato anni prima Giorgio nel suo momento di infatuazione per il volontariato, una casa-famiglia laica che ospita donne maltrattate dai mariti, le aiuta a rifarsi una vita, finanzia la protezione dei figli, la formazione, l'inserimento nel lavoro. Ecco, adesso con quello che gli verso io la casa-famiglia ha aperto altri due appartamenti protetti e si può prendere cura del quadruplo di donne rispetto a prima. Anche questo è da classificare tra i capricci da arricchita? Può darsi, eh, ma adesso ci sono o non ci sono quattro volte tanto donne che stanno meglio e mandano a quel paese i loro orrendi mariti violenti, maleodoranti, subumani? I nipoti della Gianna, nel frattempo, sono iscritti a ingegneria e agli esami del primo semestre hanno preso solo dei trenta e dei trenta e lode. Lei, quest'estate, dopo vent'anni che al massimo faceva una gita di un giorno sul lago di Como, ha passato un mese in hotel quattro stelle a Rapallo, pensione completa, vista mare. Sono ricca e smorbia, ma cerco di farmi perdonare.

Ho appena mandato un amorevole messaggio alle mie care, anzi uniche amiche Elena e Fanny, "La Breno è incredibile!", sì, tutto qui, ma munito di punto esclamativo e faccina con gli occhi a cuore. Nel taxi che mi porta a cena da Orestis Christoudoupolos – una stella Michelin, riservato online con Open Table, un posto caro, elegante, moderno, per nulla beige – osservo con un certo disappunto il traffico anonimo della sera lungo il Ring, ripromettendomi, per domattina, una visita nella parte più centrale e storica di Vienna, ché qui il panorama urbano, salvo occasionali edifici monumentali d'enorme respiro, forse musei o residenze reali o ministeri, mi ricorda un'infilata di viali milanesi in stile Bianca Maria, Regina Margherita, Caldara. Ma devo dire che non m'importa tanto, anzi anche di mangiare non è che abbia voglia, da Christoudoupolos ci vado per cambiare aria, per prendere una pausa, avete mai avuto quella sensazione di vortice che vi risucchia, quando leggete un libro? Sono sicura di sì. Con

Terno al lotto della giovane Breno ho riso molto, mi sono divertita a cogliere le citazioni, i dissimulati hommage ai narratori americani anni ottanta che l'autrice deve amare quanto me, ma poi è arrivata l'immersione, l'astrazione dalla realtà circostante, la sensazione di smarrimento, e intendo come di qualcuno che vi abbia asportato il cervello per nasconderlo in un'inaccessibile segreta. Fuori è già buio, sono le otto e mezza, ho preso al volo un tavolo nell'ultima fascia oraria di Christoudoupolos disponibile per la cena, mi sono accorta tardi del tempo che avevo passato in lettura e qui al nord i ristoranti non scherzano, mica puoi pensare di presentarti alle dieci.

Piove. I finestrini del taxi si rigano di gocce, gli stop delle auto prendono una qualità sfocata, l'odore dell'asfalto bagnato entra nell'abitacolo, la gola mi si chiude, gli occhi bruciano. Tiro su col naso e no, non è allergia. Nelle pagine di *Terno al lotto* che ho appena finito di leggere c'è un flashback in cui Selene dopo aver compiuto quattordici anni viene spedita dai genitori a studiare in una high school di Newport, un posto anonimo sul mare a nord-est di New York, trecento chilometri di distanza, cinque ore in bus, tre e mezza in automobile. Selene non se lo sarebbe mai aspettato, è sbalordita. Si è trattato di una decisione incomprensibile dei suoi genitori, nessuno della sua famiglia ha relazioni con Newport, la vita di Selene come quella dei suoi è sempre stata a Manhattan, non altrove. In più la scuola di Newport in cui verrà mandata è sì di prestigio, frequentata da figli di genitori highbrow della middle class, qualcosa che forse le potrà spianare il futuro, ma non più di una qualunque buona scuola secondaria nel comprensorio di New York. Soprattutto, tra iscrizione e college, è qualcosa che a stento i suoi genitori si possono permettere. Dunque Selene si chiede: perché?

C'è una pagina in cui Selene è nel parco del collegio, al crepuscolo. È autunno, le ultime papere si alzano in volo verso sud o chissà dove, lei si stringe nel cardigan, guarda verso il porto industriale, ché quella è la vista concessa agli studenti di quel mediocre collegio, passano i minuti, la luce scende, il mare si tinge di blu, poi di viola, infine di nero. Selene si dice che quello è il colore della sua anima pesta. Understatement, autoironia, scherzare sulle proprie disgrazie, certo, questa è la cifra della Breno, dunque Selene si consola pensando che blu, nero, viola s'intonano perfettamente con il suo lugubre guardaroba, dark e fuori moda di almeno dieci anni. Ma si chiede anche che cos'abbia fatto ai suoi genitori per costringerli ad allontanarla da loro, perché quella è l'unica spiegazione che riesce a darsi: che l'esilio a Newport sia colpa sua. E quello che si dice, la conclusione a cui arriva, povera ciccia, è che deve averli stufati con i suoi sarcasmi. Ma sì, le sue battute acide, le sue estenuanti prese in giro. Mentre una gigantesca petroliera, titanica ombra nera sulle acque nere, attraversa il braccio di mare appena fuori dal porto, Selene ricorda di aver insistito, la primavera passata, nello stigmatizzare l'orrendo color verde penicillina di *tutte* le cravatte di suo padre, sostenendo che al genitore conferissero un'aria da reparto oncologico. Anche sui cappelli che confeziona sua madre, si rende conto con un tuffo al cuore, ha speso parole sgradevoli: un berretto di lana bianca e rossa di forma slabbrata, lavorato ai ferri da Corrine per settimane, rifinito con degli inserti in passamaneria nera e marrone, lo ha definito somigliante a un cotechino lasciato esplodere in un microonde. In un moto di sconforto, Selene ripete il tic cui spesso si abbandona come rituale consolatorio: si leva l'apparecchio ortodontico, facendolo poi girare intorno al dito indice come un braccialetto. Ma siamo in giardino: una gazza ladra scende in volo e glielo porta via.

Orestis Christoudoupolos somiglia a Fiasconaro, ve lo ricordate? Marcello Fiasconaro, correva i quattrocento e gli ottocento metri negli anni settanta, era nato in Sud Africa ma naturalizzato italiano, se non sbaglio a un certo punto aveva fatto anche il record del mondo, se siete nati prima della metà degli anni sessanta ve lo ricordate di sicuro: alto, la falcata basculante, la testa incassata tra le spalle larghe, i capelli lunghi, neri, la barba incolta anche lei nera, gli occhi più neri ancora. Ho preso un menu interminabile da dieci portate, sei calici di vini coordinati, champagne per aperitivo, sono a un terzo o a metà, vai a sapere, ho perso il conto. Mi gira la testa, non so se sono felice o se sto per scoppiare in lacrime, so che a questo punto ne ho già avuto abbastanza, che non ho più fame, che me ne vorrei andare. Tuttavia, sfortunatamente, si è fatto così tardi per gli standard viennesi che sono l'ultima cliente del locale. Il maître osserva ogni mia mossa appostato presso il tavolino delle prenotazioni accanto all'ingresso, due cameriere con capelli sagomati mi lanciano brevi sguardi indagatori mentre parlottano tra loro a un passo dalla porta in cristallo della cucina dove Christoudoupolos, che sento impartire ordini ai sous-chef, frigge indiavolato la mia prossima portata. Posso forse andarmene proprio adesso? Guarda che vampe. Bagliori come di fuoco atomico, dalla cucina. Poi Christoudoupolos esce con lunghe falcate basculanti, le medesime di Fiasconaro, reggendo il piatto della quinta, sesta, boh, settima portata, sarà il suo signature dish, altrimenti non si scomoderebbe a servirmelo di persona.

"Assaggia," dice mettendomelo davanti, ché parla pure un po' di italiano. Il piatto è bellissimo, il profumo invitante, però non capisco.

"Cos'è?" chiedo. Lui mi guarda dall'alto del suo metro e novanta, le braccia dietro la schiena, lievemente inchinato verso di me mentre inarca le sopracciglia foltissime.

"Purpo."

Io scoppio a ridere. Purpo? Ma proprio una risata irrefrenabile. Avesse detto polpo, polipo, persino piovra, ma purpo, dai, cosa siamo, a Napoli? Poi è tutta la sera che arrivano piatti di pesce, e su quale mare, di grazia, si affaccerebbe l'Austria?

"Purpo del Danubio?" chiedo, quando riprendo fiato. Orestis Christoudoupolos non fa una piega, dalla sua posizione incombente mi chiarisce che tutto arriva a Vienna la mattina prestissimo dalle coste italiane e slovene, che il pesce dunque è freschissimo, ma io non lo ascolto nemmeno, io annuisco, io vorrei solo che rientrasse in cucina, che terminasse in fretta questa via crucis di piatti, assaggi, bicchieri, anzi basta con il vino, va bene così, quando Christoudoupolos finalmente se ne va e il sommelier arriva con la nuova bottiglia in abbinamento io copro il calice con la mano. Poi, quando una delle cameriere rimuove il polpo che quasi non ho toccato e dopo pochi minuti mi serve la portata successiva, con sgomento capisco subito di che si tratta. Benché elegante, destrutturato, minimale, sono certa che sia proprio quello. La cameriera me lo conferma con la sua pronuncia incerta.

"Sarde in saor," dice.

Io assaggio e questa volta scoppio in lacrime.

11.
Alvise Contarini

Rientrata dal ristorante, sdraiata sotto il baldacchino sul mio letto nella suite del Grand Hotel Wien le lacrime riprendono. Mi sono sforzata di trattenerle in taxi, ho cercato di ricacciarle indietro mentre attraversavo la hall, adesso, qui, sommersa da tutta questa orrenda seta beige, posso lasciarle andare.

Durante la terza media si era trattato di pensare a iscrivere Monica a un liceo. Parliamo di una dozzina d'anni fa, io benché nota solo a un'élite di lettrici fortissime ero nel pieno della mia attività di scrittrice. Uscivo più o meno regolarmente con un romanzo ogni due anni, pubblicavo articoli di costume e cultura sull'"Informatore Vigevanese" e sulla "Provincia Pavese", scrivevo qualche recensione per "Il Foglio", organizzavo una rassegna di scrittrici e scrittori in primavera e una in autunno presso la biblioteca di Vigevano, un'altra presso quella di Abbiategrasso, facevo un corso sulla letteratura della provincia in una libreria di Mortara, nell'insieme rimanevo appena sopra il rosso in banca ma di fatto lavoravo con i libri, la scrittura e le lettere erano il mio pane. Anche Giorgio viveva in mezzo ai libri e alla letteratura, era impegnato da anni nella stesura del suo magnum opus, *L'odissea di Bernard Kaboré*, intanto faceva con buon successo il professore di italiano. Così, immersi com'eravamo nella pratica delle discipline umanistiche, avevamo dato per scontato che nostra figlia, per di più lettrice appassionata di romanzi per ragazzine ma anche per adulti, si iscrivesse alla scuola dove insegnava suo padre, il liceo classico Benedetto Cairoli di Vigevano. Io e Giorgio ne avevamo discusso pochissimo, era un'ipotesi automatica, ne avevo parlato a Monica, l'idea le era garbata, insomma affare fatto. Era il duemilasei, le cose nella scuola di mio marito non andavano né meglio né peggio di vent'anni prima o di oggi. Eppure, un paio di mesi dopo che la decisione sembrava presa, il caro Giorgio se n'era uscito così.

"Ma di farti iscrivere in questo cesso del Cairoli nemmeno se ne parla."

Eravamo in piazza, in primavera, seduti tutti e tre a un tavolino del Caffè Commercio, stavamo prendendo un gelato, lui si era rivolto a nostra figlia d'emblée senza nemmeno lanciarmi un'occhiata complice o un'occhiata purchessia, anzi, senza avermi mai accennato prima a un ripensamento. Io e Monica l'avevamo fissato allibite. Giorgio aveva preso a ingollare furibonde cucchiaiate del suo gelato, una coppetta fragola e limone, me lo ricordo bene, era quella che costava meno. Infilava con rabbia il cucchiaino nella massa cremosa, ne portava alla bocca grosse porzioni, poi faceva quella cosa terribile che lui fa con il gelato, lo masticava.

"E perché?" gli aveva chiesto Monica.

"Ci lavoro, lo conosco, lo so. Mi spiace ma del Cairoli non se ne parla. D'altronde in classe con me non ci puoi venire e consegnarti nelle mani di quella cretina della Turone, guarda, nemmeno sotto minaccia di armi nucleari."

La Turone insegnava italiano, lui aveva la sezione A del ginnasio, lei la B.

"Quella terrona," aveva aggiunto Giorgio, a bocca piena. Come se qualcosa gli stesse esplodendo dentro, sulla t di terrona il gelato era finito dappertutto.

"Dai, non è mica un liceo così male, il Cairoli, anzi, e poi la Turone a me non sembra…" avevo mormorato senza finire la frase, arrossendo, sconcertata dal fatto che Giorgio avesse usato quel termine davanti a nostra figlia. "Ma cos'è successo, avete litigato?"

"Con la Turone? Io non litigo mai con nessuno. Io la conosco e la disprezzo, punto. Perché poi l'Invernizzi di matematica? Il Pecoraro di latino? E quella che il greco lo sa solo lei, ma tu l'hai presente? Dai, Sara, che ce l'hai presente, viene sempre in biblioteca da te quando fai gli incontri, è quella che arriva in ciabatte e fa domande imbarazzanti sull'analisi grammaticale agli scrittori che inviti. La Bascapè. Una suprema rompicoglioni. Ci viene anche al Cairoli in ciabatte, ti sembra normale?"

Monica rideva, le sembrava tutto uno scherzo: suo padre che diceva parolacce davanti a lei, il gelato sputacchiato, la Bascapè in ciabatte.

"Allora dove vado? A Mortara?" aveva chiesto nostra figlia scherzando, di sicuro mai seriamente convinta che avrebbe davvero potuto fare le scuole superiori altro che a Vigevano. Giorgio aveva scosso la testa, masticando l'ultima cucchiaiata di gelato.

"A Venezia," aveva risposto. "All'Alvise Contarini, scuola e convitto. Ti fermerai là a anche dormire."

"A Venezia?" avevamo detto io e mia figlia, incredule. Mio marito aveva annuito, Monica si era messa a piangere. Io mi ero alzata ed ero andata ad abbracciarla, a darle i piccoli baci sulla testa che sapevo erano capaci di tranquillizzarla, cercando con lo sguardo gli occhi di Giorgio per interrogarlo, disapprovarlo, fulminarlo, ma niente da fare: lui, rovesciata la testa all'indietro, si era messo a scolare dalla coppa il residuo liquefatto del gelato.

Oggi non saprei ricostruire con esattezza come le cose fossero andate a compimento, io, come tutti, delle vicende spiacevoli non conservo altro che un ricordo riassuntivo, senza dettagli, una narrazione per sommi capi che ci permette di espungere gli episodi su cui potrebbe crescere il nostro disagio, ingigantirsi l'imbarazzo, innescarsi il senso di colpa. Giorgio era stato insistente, un rompiscatole ossessivo come sapeva essere, anzi era stato irremovibile, dato che mi ero resa conto che la sua era una decisione di fatto già presa. Mi aveva notificato che aveva chiamato il Contarini settimane prima di quel pomeriggio in piazza Ducale, che aveva mosso colleghi, che aveva usato l'influenza di amicizie strette al tempo dell'università per consentire a nostra figlia il difficile accesso a quella struttura storica di prestigio. Era evidente che entrare al Contarini fosse tutt'altro che semplice, entrare e avere un posto nel convitto peggio ancora, la scuola aveva un'eccellente reputazione, la qualità dell'insegnamento era tra le migliori d'Italia, fare il liceo classico al Contarini avrebbe formato una rete di conoscenze che, se Monica avesse poi continuato con l'università a Venezia, mi diceva Giorgio, avrebbe garantito a nostra figlia una carriera dove più le sarebbe piaciuto: giurisprudenza, medicina, lettere, la specialità nei reparti ospedalieri più ambiti, il praticantato negli studi più di peso per un avvocato, l'accesso ai ministeri, l'ingresso in diplomazia, la discesa in politica. Mi ricordo questo, cioè i concetti che Giorgio metteva in campo quando io provavo a dire che non era necessario, che Monica era una ragazzina intelligente che se la sarebbe cavata benissimo nella vita anche se avesse fatto il liceo a Vigevano e l'università a Pavia, nostra figlia ha solo quattordici anni, ricordo, dicevo. Dicevo ci mancherà, noi mancheremo a lei, ricordo questo e che ogni mia protesta veniva respinta da Giorgio con una supponenza che io non sapevo contrastare. Ma c'è una cosa che ricordo nei dettagli. Una mattina di fine maggio ero a casa con Giorgio nel suo giorno libero, giovedì, mentre Monica era a scuola e si sarebbe fermata a mangiare in mensa per poi seguire un corso al pomeriggio. Io avevo fatto un ennesimo blando tentativo di opposizione.

"Nostra figlia ha solo quattordici anni," avevo detto, "è una ragazzina, ha sempre vissuto con noi, non ha mai nemmeno dormito una notte a casa di un'amica. Come farà a stare da sola, così lontana?"

Giorgio aveva sbuffato.

"Santa madonna, Sara, ti ascolti? La finiamo con questi

piagnistei? Pensi che dovremmo crescere la solita figlia mammona come fanno tutti gli italiani?"

Esatto, il suo famoso anticonformismo. Come ci teneva. "Con quello che leggiamo, Sara. Con la vita che abbiamo fatto, con la vita che facciamo. Con quello che scriviamo. Santa Madonna, Sara, conterà qualcosa essere artisti? Possiamo costituire l'eccezione? Il caso su mille in Italia di coppia senza perbenismi? Senza paranoie nazional-popolari?"

Io avevo alzato gli occhi al cielo. Quanto ci teneva pure a quel patetico argomento "artisti", alla teoria della coppia scevra di moralismo, al nostro presunto dribbling alla normalizzazione nazional-popolare.

"Mi sta benissimo lo stile di vita," avevo sospirato. "Detesto quanto te il conformismo e i luoghi comuni. Ma tu l'hai vista come piange Monica, a letto, di sera? Te ne sei accorto?"

Perché io me n'ero accorta eccome. La sera dell'annuncio di fronte al gelato in piazza Ducale avevo mandato a letto nostra figlia presto come sempre, alle nove e mezza, poi avevo passato i soliti dieci minuti che trascorrevamo insieme sdraiate l'una accanto all'altra, io che leggevo il mio libro lei che leggeva il suo, solo che dopo il bacio sulla fronte e gli abbracci di commiato, lei, invece di girarsi sul fianco e rannicchiarsi sotto le coperte, si era alzata di scatto a sedere, mi aveva stretto, era scoppiata in lacrime.

"Non voglio andare a Venezia," aveva singhiozzato. Io non ero stata capace di far altro che trattenere a stento le mie, di lacrime, di darle i soliti piccoli baci sulla testa, di dirle questo: "Ma non è mica deciso niente, Monica, sei matta?".

Nelle settimane che erano seguite si sarebbe sforzata di evitare il dramma, povera ciccia, la sera a letto niente abbracci convulsi, niente singhiozzi, dopotutto io e lei ne avevamo cominciato a parlare nelle camminate che facevamo verso casa, quando andavo a prenderla a scuola. Venezia era entrata nell'orizzonte delle cose possibili, i punti a favore del Liceo Contarini che io, spinta da Giorgio, avevo preso svagatamente a elencarle li aveva colti perfettamente, Monica è sempre stata una ragazzina razionale, senza preconcetti, senza capricci, e il mio patetico argine di contenimento del suo sconforto scendeva in ogni caso regolarmente in campo, "comunque non è mica ancora deciso", dicevo, consapevole di raccontarle qualcosa che ogni giorno che passava diventava sempre più simile a una pura menzogna. Ma quando la sera prendevo il suo libro e chiudevo il mio, spegnevo la luce, la abbracciavo, invece della fronte le baciavo una guancia e l'umido delle lacrime era sempre lì.

"E allora? I bambini piangono," aveva detto Giorgio, allargando le braccia. "Poi le sta passando o no? È vero o non è vero che ieri sera per esempio non piangeva, che adesso quando gliene parli non le viene più il magone, è vero o non è vero? Me l'hai detto tu."

Era vero, e nelle nostre passeggiate da scuola a casa da qualche giorno Monica aveva proprio smesso di nominare Venezia, come se si stesse rassegnando.

"Sì, te l'ho detto io. Ma ti posso anche dire che i bambini superano ogni cosa, pure i lutti, volendo anche la morte dei genitori. Ma il dispiacere gli rimane per tutta la vita," avevo sentenziato. Giorgio aveva tuffato le mani sui testicoli. "E smettila con quel gesto. La scaramanzia è da italiano medio. Non sei tu quello anticonformista?"

Lui aveva sbuffato, mentre sbuffava era suonato il citofono. Mio marito aveva levato le mani dalle parti basse, era scattato in piedi, io avevo guardato l'ora, le undici, ma chi era?

"Certo che sono anticonformista," aveva detto sogghignando, mentre sfrecciava verso l'ingresso. "Però pure tu. Forse anche più di me."

"Io più di te? Nel senso che...?" avevo chiesto, ma Giorgio non mi aveva risposto. Era già sul pianerottolo che condividevamo con il geometra Gallina, si stava sporgendo dalla ringhiera, si sbracciava verso il basso.

"Di qui, secondo piano, salire da questa parte," si era messo a strillare festoso, saltellando, mancava solo che facesse una piroetta.

"Nel senso," mi aveva detto poi, affacciandosi sulla porta di casa, "che sei tu che ne vuoi due alla volta, no?" Alle sue spalle, dall'ultima rampa di scale erano apparsi Bouvard e Pécuchet. Ansavano per la salita, il sorriso bianco accecante tagliava in due i visi neri.

Dopo Kobar non avevamo mai smesso. Giorgio aveva attraversato un momento di sconforto quando il nostro amico africano, a metà degli anni novanta, aveva riscattato i versamenti Inps e aveva abbandonato il nostro paese per tornare in Senegal a impiantare un allevamento di polli, lasciandoci senza il componente basilare per i nostri threesome. Ma il mio caro marito non s'era perso d'animo. Conoscere tanto intimamente Kobar aveva significato frequentarlo anche fuori dal nostro triangolo erotico, e se triangolo erotico vi fa ridere ridete pure, suona rivista porno anni settanta, lo so, ma conoscere l'amico africano fuori appunto da tale comico triangolo aveva permesso a Giorgio di conoscerne anche cugini, amici, coinquilini, cui, con discrezione, con mie nuove polaroid, forse anche con la raccomandazione di Kobar, si era rivolto trovando nel cugino Diagne un valido sostituto, poi anche nell'ex coinquilino Diop, infine, partiti per la Francia prima l'uno poi l'altro, nel fratello minore di Kobar, Khadim, che, arrivato in Italia, verosimilmente indirizzato proprio dal nostro primo collaboratore erotico (il termine era mio, Giorgio sugli africani che ospitavamo non si permetteva alcuna spiritosaggine), si era subito rivolto a noi con inequivocabili intenzioni.

Per la felicità di Giorgio, differentemente da Kobar, Diagne e Diop, il più giovane e disinvolto Khadim gli concedeva ampie, qui irriferibili, libertà non eterosessuali durante i nostri incontri a tre. Era stata la svolta. Dopo Khadim la semplice compagnia di un africano con cui occuparsi di me in un'azione parallela non era stata più sufficiente al mio caro marito. La chiusura del terzo lato, le prassi che intercorrevano tra lui e l'ospite durante i nostri triangolari indoor – e sì, anche questa è mia – erano diventate imprescindibili. Intanto si era arrivati al duemila, in casa ci eravamo muniti di un collegamento internet via modem, Giorgio aveva scoperto i newsgroup come it.cultura.libri dove discuteva ferocemente con lettori, scrittori, critici, poi quelli di pornografia dove sospetto caricasse nostre foto scattate durante gli incontri a tre, infine, passato qualche anno ancora, Giorgio aveva scovato anche un sito internazionale che agevolava gli incontri tra adulti, mettendo in contatto singoli e coppie con tanto di chiare preferenze di razza, genere, orientamento sessuale. Bouvard e Pécuchet, neri, etero ma disponibili a moderate pratiche bisessuali, li aveva conosciuti lì.

"Ti piacciono? Non sono bellissimi? Non è incredibile l'idea di avere due ragazzi insieme nei nostri giochi?"

Così mi chiedeva con la voce arrochita, con il coso, lì, ferreo, vibrante come un razzo sulla rampa di lancio, mentre svestiti ci mostravamo in webcam ai due amici africani che ricambiavano con un analogo spettacolo e un analogo interesse nei nostri confronti. Ma cosa avrei dovuto rispondere a mio marito? Che in effetti era divertente anche l'idea di un quadrangolare, però magari outdoor? O stigmatizzare il malassortimento dei due studenti universitari camerunesi, veri nomi Donatien e Thibaut, che trasmettevano nudi salvo che per i gambaletti di spugna dalla loro camera presso il Collegio Lorenzo Valla di Pavia, il primo alto, affabile, con i capelli a treccine tinti di biondo, Bouvard, il secondo basso, nero come il carbone, tignoso, la voce cavernosa, un forte accento francese, Pécuchet? Sebbene così avessi preso a chiamarli solo dentro di me, perché Giorgio ne sarebbe morto di dispunto, il sesso per lui era una cosa seria, un rito salvifico, una religione, guai a dissacrarlo con l'ironia, l'aspetto sontuoso che tanto mi piaceva del suo coso, lì, sarebbe istantaneamente svanito come un soufflé che si affloscia fuori dal forno.

"Bellissimi," dicevo dunque di Bouvard e Pécuchet. "Mi piacciono."

"Anche tutti e due insieme?" guaiva Giorgio mentre loro

di là dalla videocamera ci guardavano, scambiandosi attenzioni che mandavano in visibilio mio marito.

"Anche."

"Li facciamo venire qui tutti e due?" chiedeva, ragliando
abbrutito dalla libidine. Io annuivo, lui subito si rivolgeva ai
camerunesi.

"Vedete che mia moglie vi vuole? Venite da noi a Vigevano? Una mattina di giovedì? Siamo sempre liberi solo di giovedì."

Loro però il giovedì non potevano mai, di mattina avevano lezione, il pomeriggio facevano dei lavoretti per mante-
nersi agli studi, di contro proponevano la sera ma la sera non
potevamo noi, c'era nostra figlia a casa, per noi anche uscire
era impossibile, era troppo piccola per lasciarla sola, d'altronde gli ultimi amici che si erano avvicendati, Khadim,
Diagne, Diop, venivano proprio il giovedì mattina, i Giovedì
della signora Giulia, mi veniva da dire citando Piero Chiara,
però non lo dicevo perché altrimenti sai Giorgio che scena.
Con Bouvard e Pécuchet si era dunque andati avanti per
mesi con quei collegamenti notturni in webcam dalla nostra
camera da letto, io e Giorgio chiusi dentro a chiave, loro in
collegio a Pavia, senza che ne fosse sortito mai nemmeno un
tentativo di appuntamento. Mi andava bene così. Anche se a
Giorgio non osavo dirlo l'idea mi spaventava, incontrare due
uomini più mio marito mi sembrava troppo, ce l'avrei fatta, il
mio fisico me l'avrebbe consentito? Col passare del tempo mi
ero convinta che non si sarebbe mai concluso nulla, che il
quadrangolare sarebbe rimasto solo una fantasia, mi ero messa il cuore in pace. Invece quel giovedì mattina a Pavia c'era
la sospensione delle lezioni per l'inizio dell'anno accademico
ed eccoli lì.

Quando Bouvard e Pécuchet erano ripartiti alla volta della città di Mino Milani, le mie paure se n'erano già andate da
un pezzo, se n'erano anzi andate subito, non appena il nostro
incontro a quattro era iniziato. Era stato un incontro sereno,
con la temperatura erotica, se mi è concesso il termine, che

era piacevolmente cresciuta senza sbalzi né strappi, io mi ero sentita al mio posto, all'altezza, non c'era voluto alcuno sforzo particolare, alcuna acrobazia dolorosa, anzi a dire il vero l'unica cosa fuori posto era stata il mio caro marito, che non aveva saputo contenersi di fronte a quei due ragazzi di fatto molto attraenti, richiedendo loro ossessivamente attenzioni che invece Bouvard e Pécuchet preferivano dedicare a me. Giorgio però non era sembrato rendersene conto, era semplicemente in estasi. Nel nostro appartamento, sul divano, dopo che avevamo sentito richiudersi il portone di strada in fondo al giroscale, si era sdraiato, aveva appoggiato la testa sulle mie gambe, aveva inspirato e poi rilasciato l'aria in un lungo soffio, come una partoriente alle prese con le tecniche di respirazione.

"Fuuuuuck," aveva detto poi, chissà perché in inglese. Io ero scoppiata a ridere, lui pure. Per un minuto avevamo riso così, felici, senza riuscire a smettere perché era vero, quello che avevamo appena fatto era stato eccezionale, fuori dalle regole del sentire comune, in più l'avevamo fatto con naturalezza, i due ragazzi nel ruolo di consapevoli, consenzienti accessori dentro un gioco che conducevamo noi, senza rovinare niente del nostro amore anzi rafforzandolo, rendendolo più solido perché unico. Questo pensavamo, questo c'era in quella risata, noi spensierati, noi in paradiso per le endorfine che ti scarica in corpo una raffica di orgasmi. Con le dita avevo riavviato una ciocca sudata sulla fronte di Giorgio che allora i capelli li aveva ancora tutti, sempre un po' lunghi alla Alain Delon, neri, salvo qualche filo bianco che aveva fatto la sua comparsa sulle tempie. Mi aveva afferrato le dita, le aveva portate alle labbra, con delicatezza le aveva baciate.

"Non è bellissimo?" mi aveva chiesto.

"Cosa, amore?" avevo detto io.

"Che quando Monica sarà a Venezia potremo fare questo tutti i giorni. Pensa. Anche nei weekend. Non è bellissimo essere liberi *così*?"

Io non avevo detto niente. Avevo solo sospirato, poi mi ero alzata per andare a fare una doccia. Sotto l'acqua avevo pianto, più che altro perché mi ero resa conto che in effetti anch'io mi ero ritrovata a pensare la stessa cosa.

Qui a Vienna è notte, sono le undici e un quarto, ricordare le lacrime di allora rinnova le lacrime di oggi. Mi asciugo gli occhi con le lenzuola di seta, dalla reception mi sono fatta portare una tisana calda profumata allo zenzero, o al limone, alla cannella, vai a capire. La sto sorseggiando con la televisione accesa su un canale in tedesco che trasmette danza classica, musica credo di Strauss, chissà se padre o figlio, il libro di Marina Breno resta sul comodino, meglio che non lo legga con quella povera Selene alla high school lontana da casa, i genitori che la vanno a trovare una volta ogni due settimane perché il viaggio a Newport costa, l'hotel a Newport costa, il ristorante a Newport costa, come costavano a noi il viaggio a Venezia, l'albergo, la trattoria. Avevamo preso l'abitudine di fare visita a Monica ogni tre settimane, qualche volta ne facevamo passare solo due ma era un'eccezione, il liceo convitto Contarini era caro come il fuoco, ci prosciugava il conto in banca, non potevamo permetterci altro che una notte alla pensione Steffanon di Marghera, un carcere con i comodini traballanti, le luci al neon, la doccia con il piatto incrostato di deposito verdastro. La domenica stavamo con Monica, passeggiavamo tutti e tre per le calli di Venezia, facevamo come se fossimo una famiglia in gita. Ma qualche volta invece mi alzavo silenziosa di mattina presto, lasciavo Giorgio a dormire in pensione, scappavo per restare sola con lei almeno mezza giornata, giravamo tenendoci per mano come a Vigevano tornando da scuola, le chiedevo delle compagne di classe, dello studio, dei professori, e sentivo sciogliersi l'angoscia quando mi diceva che con questa era amica, che libri leggeva quella, come si vestiva quell'altra ancora, e che c'era un gruppo in collegio con cui la sera prima di dormire studiava e traduceva greco. Avevo capito che non era sola, che il Contarini non era una prigione, che c'era qualche aspetto della sua vita a Venezia cui potevo pensare con ottimismo sentendomi meno in colpa. Poi visitavamo un museo, mangiavamo da

McDonald's, ogni volta le citavo la famosa frase di Andy Warhol, ogni volta lei rideva. Questo la domenica. Ma io e Giorgio arrivavamo la sera prima, sabato, e sabato Venezia è una città impossibile, piena di turisti all'inverosimile, non c'è aria, i ristoranti per cena sono strapieni e poi carissimi, Giorgio proprio non lo sopportava quant'erano cari, non sopportava che potessimo spendere altri soldi inutili oltre quelli ben spesi, anzi stando a lui *ottimamente* spesi, del Contarini. Quindi sabato a Marghera io e lui si stava anche per mangiare in trattoria, una trattoria con i tavoli traballanti, le luci al neon, la turca del bagno incrostata di deposito verdastro, la trattoria Argentin.

Ogni volta mio marito prendeva tagliatelle panna prosciutto e piselli, il primo che costava meno, io invece prendevo l'unico piatto che mi era sembrato preparato con amore dalla moglie del proprietario, l'unico piatto che lei sapeva far bene, che aveva senso prendere in quella lugubre trattoria. Avete indovinato? Bravi, esatto, sarde in saor.

Sbuffo, respiro incamerando aria poi soffiandola fuori dalle labbra strette a fessura, incredibile come questa pratica ridicola che mi ricorda quel fissato dell'apnea con le spalle pelose, Enzo Maiorca, sia davvero in grado di restituirmi una parvenza di controllo, di farmi smettere di piangere, di farmi venir voglia di chiamare qualcuno, per esempio sentire un'amica.

Prendo il cellulare, penso che non ho altre amiche al di fuori di Elena e Fanny, penso che loro siano una benedizione, penso che lo so che sono le undici e mezza, che forse le sveglierò, che mi malediranno, ma ho voglia di dirglielo anche a voce che hanno ragione, che il libro della Breno è davvero un portento, che lei è brava, che ha quel tono ironico e dolente che ho sempre amato in Tama Janowitz e che in *Terno al lotto* ritrovo fresco, aggiornato, meravigliosamente vivo. Avrei voglia di dire alle due uniche amiche che mi sono rimaste alla verde età di sessant'anni che Selene, povera ragazzina, ha passato le stesse cose che ha passato Monica, mia figlia, che io sono una madre spaventosa, che mio marito come padre peggio ancora, che...

Basta, respiro come Maiorca, chiamo Elena. Il suo cellulare è staccato, allora chiamo Fanny.

"Cara?" risponde. "Sei tu?"

Alzo gli occhi al cielo, anzi al raso beige del baldacchino. Se la telefonata arriva dal mio numero, chi altri vuoi che sia?

"Ciao Fanny, disturbo?"

Sento uno sfregamento, un fracasso come se ci fosse vento, oppure come se la mia amica stesse infilando il cellulare in una borsa insieme alla testa per rispondere in privato.

"Sara, mi perdoni?" sussurra, poi dice qualcosa di incomprensibile.

"Di cosa ti dovrei perdonare? Non sento."

"Non posso parlare."

La conosco bene, c'è qualcosa che non va, questo non è il suo tono accorato, è il suo tono imbarazzato.

"Sta succedendo qualcosa? C'è gente a casa?"

"No. Sara, non sono in casa. Mi perdoni?"

"Ma di che?!"

Questa volta ho quasi urlato.

"Sto facendo... Una presentazione. Ecco. E scusa eh," dice. "Ci possiamo sentire domani?"

"Domani? Ma sì, domani. Scusami tu, vai, buona presentazione."

Chiudo la chiamata scuotendo la testa poi mi alzo, vado alla finestra, ha smesso di piovere. Resto qui in piedi a guardare le poche auto che a quest'ora scorrono lungo il Ring, mi chiedo dove mai sia Fanny, in quale libreria, circolo, club, mi chiedo dove mai vi possa essere un pubblico così appassionato da continuare a rivolgerle domande a quest'ora della notte riguardo al suo ultimo libro, la pur brillante raccolta di racconti *La dea di Brugherio*, uscita ormai un anno fa. Mi chiedo questa e svariate altre cose mentre qui in basso, sul marciapiede dall'altro lato del Ring, passeggia, si ferma, riprende a passeggiare un gruppo di ragazzi biondi, solo ragazzi, niente ragazze, sembrano studenti liceali, non più anziani, ragazzi che fumano, chiacchierano, si abbracciano. Ora due di loro si baciano. Esisterà ancora il Prater? E, se esistesse, ci sarà ancora la ruota panoramica? Per un attimo accarezzo l'idea di telefonare in reception, di farmi chiamare un taxi, di chiedere al tassista di rimanere con me tutta la notte per portarmi in giro per Vienna nelle strade del sesso, della prostituzione, della devianza, dai, ci saranno ancora delle strade, a Vienna, specializzate in sesso prostituzione devianza, non possono essere rimaste solo sale da tè biologico ed enoteche.

Poi invece sbadiglio per il sonno, è quasi mezzanotte, anche solo l'idea di mettere fuori il naso dalla mia stanza mi pesa. Mi rimetto tra le lenzuola di seta, apro lo smartphone, consulto l'Amazon americana, eBay, Abebooks finché non trovo una prima edizione di *Prater Violet* rilegata, pubblicata da Random House nel 1945, con dedica autografa di Christopher Isherwood. Costa trecentocinquanta dollari più spedizione dagli Stati Uniti, la ordino. Spengo il telefono, spengo la luce, non servono gli esercizi alla Enzo Maiorca, appoggio la testa sul cuscino e prendo sonno in pochi tradizionali respiri.

12.

La vita segreta del tappezziere

A un tavolino del Chiosco Mentana, finalmente a Milano al caldo dopo tre giorni viennesi in cui ha sempre piovuto, seduta comoda in questa bella mattina serena sorseggio una spremuta d'arancia, pilucco un muffin all'albicocca, m'ingozzo della panna montata che il barista, un ragazzo che ormai mi conosce bene memore delle mie mance insensate, mi serve d'abitudine in una coppetta a parte senza bisogno che io ne faccia richiesta. Alzo una mano, anzi di fatto la sollevo appena dal tavolo inarcando l'indice ma lui comunque mi vede perché mi tiene costantemente d'occhio, d'altronde ho appena detto delle mance insensate, no? Fa quel gesto circolare che vuol dire "ancora?" poi mima con le labbra.

"Panna montata?"

Sì, ancora panna montata grazie, che devo dire, ho il metabolismo rapido di una ragazzina, saranno gli anni di fame, sarà fortuna, ma m'ingozzo dei piatti lomellini della Gianna, di torte Sacher, di cene gourmet da dieci portate, di panna montata e non metto su un grammo, evviva me. Comunque, dati per presi Milano sole panna, non è che oggi l'umore sia tutta questa meraviglia. Sto cercando di scrivere qualcosa da più un'ora, seduta qui in piazzetta mentre aspetto Lilly Ramella che mi deve riportare il César blu. Riguardo al mio piccolo capolavoro del *noveau réalisme* contavo che la Giraffa passasse a lasciarlo a casa mentre io ero in Austria, le ho anche mandato un cordiale messaggino di sollecito ma niente, anzi è stato un errore, ha salvato il mio numero, mi ha tempestato di sms in cui mi chiedeva quando sarei tornata, mentre per il César la risposta è stata che vuole restituirmelo di persona. Quanto allo scrivere invece mi sono portata un quadernetto perché questa mattina, appena sveglia, mi sono detta forza Sara, spezza l'incantesimo, almeno un racconto lo potrai ben buttar giù, una storiella da sessanta righe come quelle che pubblicavi la domenica sulla "Provincia Pavese", sì e no trenta euro a pezzo eppure le scrivevi senza sforzo alcuno. Ti sedevi in piazza a Vigevano di mercoledì o giovedì mattina, guardavi il mondo come un Mastronardi però anni novanta e di sesso femminile, l'idea arrivava in cinque minuti, perché le persone che vedi, le conversazioni che ascolti in una piazza la mattina di un giorno qualunque sono un mondo a parte pieno di personaggi e storie. Prendevi appunti su un quadernetto come quello che ti sei portata oggi, rientravi a casa prima di pranzo, ti sedevi al computer, in meno di un'ora il pezzo era pronto. Era perché quei trenta euro ti servivano come l'aria per respirare?

"C'è un traffico da matti, sono in via Foppa, ritardo un pochino."

Un sms della Ramella. Che solerzia.

"Faccia con calma, guidi con prudenza," le rispondo, dentro di me augurandole un frontale. Credo che non sia venuta ad aspettarmi a Malpensa solo perché consapevole che ormai nessuno viaggia più con il libretto degli assegni. Oggi, chiamalo intuito, invece ce l'ho in borsa.

"Eccoci cara."

E questo è il ragazzo del chiosco. Che solerzia pure lui, che regge il vassoio con una sola mano sulla punta delle dita in una specie di acrobazia baristica, guarda qua che opima coppa di panna montata mi deposita sul tavolino.

"Desidera altro? Un cafferino? Una seconda spremuta?"

Scuoto la testa, non apro bocca, allontano il barista con un gesto nervoso della mano. Sto diventando sempre più viziata, sto diventando pure antipatica, me ne accorgo, è che tutta questa sovrabbondanza di denaro mi rende insofferente, è che mi è diventato chiaro che non ho nulla da perdere a dire quel che penso, a fare quel che preferisco, è che non ho più pazienza come per esempio adesso, perché questo che vuole? Cosa dovrei fare secondo lui, lasciargli ogni volta cinquanta euro di mancia, fare la sprovveduta che erutta soldi come un geyser solo in virtù di un sorriso, di uno svolazzo, di trenta grammi di panna montata? Se ne vada.

Lui, appunto, se ne va sorridendo, io invece sospiro, apro il quadernetto, premo la penna contro la pagina bianca quasi sperassi che la pressione facesse sgorgare le parole. Vogliamo raccontare la storia di questo barista da almeno 0,8 Cùlec che con le mance dell'anziana riccastra acquisterà, poniamo, l'arma con cui sparerà al muratore rumeno che gli ha portato via la moglie? Sai che trovata. Oppure vogliamo scrivere la storia dell'automobilista sul Fiorino bianco qui in strada, che entrando in uno stallo in retromarcia ha appena frantumato il fanale di un'Audi parcheggiata e adesso, pensa te che farabutto, a scanso di equivoci se ne sta filando via? Svolta, circumnaviga la piazza, mi transita di fianco, lo vedo sogghignare. Ha gli occhiali spessi, una casacca blu, i capelli bianchi radi, il volto tirato. Sarà un tappezziere, un giardiniere, un magazziniere? Un pensionato che continua a lavorare in nero?

Prendo appunti sul quadernetto, febbrilmente.

Finito con gli appunti mi dedico alla panna montata, un cucchiaino dietro l'altro rovesciando di un poco all'indietro la testa, chiudendo gli occhi per assaporare meglio la nivea emulsione, per saggiarne la consistenza corposa. Quando riapro gli occhi mi accorgo di loro. Oltre il cono d'ombra degli alberi sotto cui sto seduta, al limitare della parte sgombra della piazzetta, prima del piccolo parcheggio per biciclette e moto, c'è una coppia di ragazzi che ha spostato due seggiole del chiosco per accomodarsi al sole. Sorseggiano una bevanda colorata dai propri grossi bicchieri, mi guardano, ridono. Hanno seguito tutta la scena, il mio gesto minimo per allontanare il barista, gli appunti sul quadernetto, gli occhi chiusi, la panna. Il ragazzo prende il cucchiaino dal proprio bicchierone imitando a vantaggio della ragazza la sottoscritta che s'ingozzava. Penseranno: che vecchia scema. D'altronde ho anche un cappello di paglia a falda larga, occhiali scuri, un vestito arioso di lino bianco, sono esattamente *l'incarnazione* della vecchia scema, sembro Diletta Garavina che presenta a Capalbio una qualche vaccata genere memoir sui suoi amori negli anni d'oro nel Pci. Però questi due come si permettono? Mi tolgo gli occhiali, incrocio le braccia al petto, mi metto a fissarli. Lei, che mi rivolge il profilo, nasconde il volto dietro la mano, lui non osa sostenere lo sguardo, continua solo a fare delle risatine, continua a dire alla ragazza delle cose che da qui non riesco a sentire, questo cretino che avrà quanto, vent'anni, venticinque? Solo di tanto in tanto s'azzarda a girare gli occhi verso di me, poi li sposta di nuovo sulla sua fidanzata, poi di nuovo ride. Nemmeno io smetto, anzi finisco il resto della mia panna montata mentre continuo ostentatamente a fissarli. Poi chissà perché prendono a baciarsi. O per così dire. Lui a dire il vero tira letteralmente fuori la lingua e lei gliela succhia a guisa di fellatio, poi quelle lingue se le infilano in bocca, però non sembra che si bacino, sembra che si mastichino, ecco che ora si strofinano pure, lei gli infila le mani sotto la maglietta, un po' addirittura gliela solleva, si vedono ampi scorci di pelle, un tatuaggio, l'ombelico, ma per favore, cosa credete di dimostrare? E il mio telefono sceglie questo momento per fare uno dei suoi rumorini.

"Ho parcheggiato." È un sms di Lilly Ramella.

"Arrivo a piedi." Un altro messaggio.

"Sono in via Cesare Correnti." Un altro ancora.

Anche il ragazzo adesso ha infilato le mani sotto la maglietta della ragazza, mi viene da immaginare che lei non porti il reggiseno perché lui le mette le mani proprio lì, prima a coppa poi imprimendo alle dita un movimento rotatorio che lascia intendere che le stia torcendo i capezzoli. Ma ragazzi, andiamo, siete in una piazzetta del centro di Milano, ci sono automobili che viaggiano a passo d'uomo su tre lati, c'è un gruppo di turisti cinesi adolescenti sul marciapiede, vi pare il caso? Credete di farmi invidia, di scandalizzarmi, addirittura di eccitarmi? Magari per poi farmi marameo? Non rimetto giù il telefono: lo brandisco come un'arma, tenendolo sollevato davanti a me con ambo le mani, alto, ben visibile, i miei gomiti appoggiati al tavolino. Fingo di guardarci dentro, ci picchietto sopra con le dita come se stessi aprendo un'applicazione anche se in realtà non sto facendo nulla, lo schermo è già tornato nero, sto solo fingendo di riprenderli. La ragazza mi vede, spinge via di scatto le mani del ragazzo, scosta la sedia con rabbia, si alza, marcia spedita verso il chiosco, supera il quartiere di tavolini dove sto seduta io. Mentre mi passa di fianco continuo a fingere di riprenderla, lei alza la mano a coprirsi il profilo, la mano però ha le dita ripiegate con un solo dito teso verso l'alto, il medio. Poi anche il ragazzo che è rimasto seduto al suo posto, che l'ha chiamata per nome, "Ginevra!", dunque di conseguenza il ragazzo che mi viene spontaneo chiamare Lugano, anche il ragazzo scuote la testa, si stiracchia, senza fretta si alza e si avvia nella stessa direzione. Quando Lugano mi passa accanto non mi guarda ma si afferra il cavallo dei pantaloni, lo scrolla, poi, già un passo oltre, si gira per lanciarmi un sorriso canzonatorio, la bocca storta come quella di Billy Idol nel video di *Eyes without a face*. Ricordate? Se avete almeno quarant'anni è impossibile che abbiate dimenticato Billy Idol e la sua smorfia in *Eyes without a face*. Chissà se Lugano lo sta citando, se conosce il punk, indossa una polo Ralph Lauren, delle Hogan, non so.

"Trovavo più la piazzetta!" sento abbaiare alle mie spalle. Sobbalzo, mi giro col cuore in gola, ecco Lilly Ramella.

"Dè, Brivio stai tranquilla che son solo io." Così mi saluta, né un salve né un buongiorno. "Ti ho portato il coso."

Solleva un borsone dell'Esselunga, dentro ci dev'essere il mio César. Oggi fa caldo, sembra una giornata estiva, eppure lei indossa il solito soprabito rosso fuoco, se non altro sbottonato. Sotto ha un vestito giallo limone troppo corto per la sua età, troppo corto per qualsiasi donna sopra i trent'anni, dopo quell'età non si dovrebbe portare niente che non copra le ginocchia, figurarsi una che ha passato i settanta come lei. Siede senza chiedere permesso, mi porge il borsone.

"L'ho conservato bene, se vuoi controlla," dice. Io chiudo il quadernetto, faccio spazio sul tavolo poi con cautela ci appoggio la borsa, guardo dentro, ma me l'aveva detto Ferrero a Nizza, all'epoca dell'acquisto:

"È roba solida, può anche prenderla a martellate, non si rovina. Se si sporca la lavi con acqua e sappone". Sappone con due pi, non è un errore di battitura, Ferrero parlava un italiano sui generis. Il César comunque è integro.

"Dè, e sta roba quanto vale?" mi chiede la Giraffa, indicando col mento la scultura.

"L'ho pagata ottantacinquemila euro," dico, guardandola negli occhi. Lei piega la bocca all'ingiù come se avesse inghiottito veleno, scuote la testa, scuote anche le spalle forse per scrollarsi l'idea di dosso.

"Ottantacinquemila! Dè, Brivio, te i soldi ti piace proprio buttarli via. Se lo sapeva tuo padre che li buttavi nel water a 'sto modo."

"Mio padre comprava opere d'arte," dico, inarcando le sopracciglia. Casa dei miei era piena di quadri, benché chiamarle opere d'arte sia totalmente improprio, erano tele insignificanti di pittori vigevanesi ma tele che mio padre teneva in gran conto, vantandosi di conoscere la pittura, prendendole anzi come prova materiale del suo buon gusto, della sua passione per le cose belle, per il buon vivere. Guardo Lilly Ramella, il suo corpo sproporzionato, la testina che adesso fa sarcasticamente sissì, è una donna di una bruttezza angosciante, mio padre si considerava un edonista ed era finito con una così?

"Te al mese quanto spendi? Cinquantamila? Centomila?"

Io faccio cenno di no e basta, che le importa? In ogni caso non c'è andata nemmeno vicina.

"A proposito di spendere, le posso offrire qualcosa?" dico invece, dato che il barman solerte è già arrivato qui deferente, le mani allacciate dietro la schiena, il busto lievemente angolato in un accenno d'inchino.

"Un panino burro e alici. Una birra. Un cappuccino," elenca la Giraffa, mentre io tossisco per non scoppiare a ridere. "Ce l'avete il burro e le alici?"

Il barman annuisce.

"Ma certo. Alici sott'olio vanno bene? Preferisce burro o margarina?"

"Se ho detto burro voglio burro. Te la mangi te la margarina."

Per un istante mi viene in mente la celeberrima scena del burro ma con mio padre e Lilly Ramella al posto di Marlon Brando e Maria Schneider. Devo reprimere un conato. Devo rivolgere lo sguardo altrove, sui tacchi del barista che torna garbatamente al chiosco con l'ordinazione senza aver mandato la Giraffa a quel paese, per esempio. Mi sa che anche oggi dovrò lasciargli un cinquantone.

"Dè, Brivio, te invece mi potresti offrire un altro assegno?"

Questo mi chiede Lilly Ramella guardandomi negli occhi con un'espressione questa volta non proterva, anzi, direi piuttosto da cane bastonato.

"Un assegno per cosa?"

"Per tirare avanti qualche anno. Perché adesso stop," dice facendo un gesto incongruo, gli avambracci a croce come fanno certe volte gli arbitri di basket. "Il tuo amico Quintavalle da quando è morto tuo padre mi ha levato tutto."

"Quintavalle non è un mio amico. Era l'amministratore di mio padre, ora è il mio. Fa il suo lavoro, è normale che abbia sospeso le erogazioni ad personam. Quanto le passava mio padre?"

"Cinquemila franchi al mese."

Io annuisco, c'è concordanza, mi aveva detto altrettanto proprio il caro commercialista. Per un istante dimentico l'appostamento a Vigevano, il pedinamento in auto, il tentativo sfrontato con il testamento falso, per un istante dentro di me penso a Lilly Ramella non come alla Giraffa Maledetta ma come a una povera donna in balia per anni di un vecchio citrullo egoista, di un cretino pieno di sé che l'aveva costretta a una vita a Brig pagandola per averne l'esclusiva d'uso, una vita però contingentata, separata, perché la considerava una da prendere "a piccole dosi" solo quando lo desiderava lui. Lilly Ramella mi guarda con la fronte aggrottata, con le labbra istoriate di rughe raggrinciate in un'espressione di intensissima concentrazione. Non voglio nemmeno immaginare quale fosse l'uso in esclusiva che di lei mio padre faceva. Abbasso lo sguardo, rivolgendolo alla borsa Esselunga il cui giallo somiglia a quello del vestito della Ramella, un giallo che brucia là dove il sole lo colpisce trovando varchi nel fogliame che ci fa da schermo, in questo mattino che giunge ora al suo apice mentre il campanile della chiesa di San Sepolcro suona le dodici. Non le posso dare quello che le dava mio padre. Alla Gianna do molto meno di cinquemila franchi al mese o euro che siano, il cambio ormai è uno a uno, eppure lavora giorno e notte per me. Do meno anche a Fanny ed Elena, le mie amiche più care, anzi le mie uniche amiche. Però alla Giraffa, povera donna, qualcosa, magari un piccolo mensile, potrei anche passarglielo, penso ora, mentre lo sguardo rimane sulla borsa gialla colpita dai raggi del sole.

"Dè, Brivio, ti stai addormentando?" dice.

Basta questo a farmi perdere la pazienza. Poi dice anche un'altra cosa e contributo mensile addio, perché proprio non ci vedo più.

La cosa che ha detto è:

"Dè, Brivio, guarda che anche quando eravamo ancora a Vigevano tuo padre mi passava già un bel due milioni di lire al mese".

La sensazione che ho avuto è stata quella di un colpo di taglio assestato con forza alla base della nuca. Avete presente? Dolore, formicolio, ma soprattutto sorpresa, perché arriva da dietro e non ve lo aspettate. Sorpresa, e tradimento, e offesa.

"Vuol dire che lei lo conosceva anche quando abitava ancora a Vigevano? Nel senso che vi frequentavate?"

"Oh già."

"Cioè vi frequentavate nel senso in cui vi frequentavate dopo in Svizzera?"

"Oh già."

"Ma come *oh già*? La smetta di dire *oh già*! Quando è cominciata?"

"Te non ti devo raccontare niente, sai? Te dovresti solo ringraziare che tuo papà ti ha dato tutto invece di dare tutto a me. Dè, Brivio, ho buttato via la vita per seguire il tuo bel papà."

"E non lo chiami così! Dica *tuo padre*!" sbraito picchiando un pugno sul tavolo. Tutti si girano, il barista nel chiosco alza le sopracciglia e va bene, oggi la mancia sarà di cento euro.

"Eh, tuo padre. Te stai brava e buona, però, che se no ti aggiusto io."

Qui, benché sia seduta, ecco di nuovo quella sua posizione da difesa con le arti marziali. Anch'io faccio il mio gesto dell'altra volta a casa, le mani che spingono verso il basso come a dire calma, respira.

"Sia cortese: mi può dire quando è cominciata la sua relazione con mio padre?"

Lei mi guarda girando il volto di tre quarti, riducendo le palpebre a fessura, ancora con le mani di taglio sollevate in difesa: un'idiota perfetta, totale.

"Dè, brava lei: e io cosa ci guadagno?"

"Non so…" dico, con un sarcasmo che ora mi esce dritto dal cuore. "Provi a concentrarsi: cosa mi ha chiesto prima?"

"Un assegno."

"Ecco, ci guadagna un assegno."

È bastato dirlo: lei non esita un secondo a cominciare.

"Con tuo padre ci stavo insieme da quando ero andata a fare un ciclo di iniezioni a tua madre. Te l'ho detto che sono infermiera, no?"

No che non me l'ha detto, ma non mi importa nulla di quello che davvero è o non è, mi importa che questa abbia conosciuto mio padre esattamente quando mia madre si è ammalata: è un secondo colpo di taglio alla base della nuca. Poi, sarà la botta, d'improvviso i ricordi tornano vividi.

"Mio padre la chiamava di notte? Telefonate interminabili in cui bisbigliava?"

Lei annuisce. A giudicare dalla smorfia che somiglia a un sorriso e che però non è un sorriso, diresti che annuisce con orgoglio.

Mi ricordo che era il 1991, che era autunno. Mi ricordo che mia madre mi aveva telefonato per dirmi che era malata, che aveva questo tumore che non le avrebbe lasciato scampo, che le rimanevano sei mesi, massimo otto di vita. Mi ricordo anche che quando avevo alzato la cornetta e riconosciuto la sua voce mi ero sentita sollevata perché anch'io avevo una notizia da darle, ero incinta, ma non ci sentivamo da un pezzo, da settimane, così che il semplice atto di prendere il telefono e chiamarla era diventato un ostacolo insormontabile. Avevo riconosciuto la sua voce, mi ero sentita sollevata, ma la *sua* notizia era arrivata subito dopo i saluti azzerando il senso di ogni cosa. Che aspettassi Monica gliel'avevo detto in un altro momento, notificandoglielo senza troppa enfasi in uno dei giorni delle settimane successive, quando avevo ripreso a frequentare casa dei miei, quando, costretta dalla malattia di mia madre, con mio padre avevo instaurato una specie di tregua, quando anche la Gianna, la mia cara Gianna che oggi mi tiene compagnia, cucinava, lavava la biancheria, faceva le pulizie dai miei un paio di volte la settimana. Di mattina e pomeriggio scrivevo, era il periodo in cui uscivano i miei primi racconti su certe riviste, in cui facevo anche recensioni per altre riviste, il periodo in cui tentavo di scrivere il mio primo romanzo buttando via pagine, riscrivendole, buttandole via di nuovo alla ricerca di una voce che non trovavo perché non ero serena. Ci vuole serenità per scrivere, ma chi riuscirebbe a essere serena con la propria madre in fin di vita, con la prima figlia in arrivo, con il proprio marito, il caro Giorgio, che insisteva nonostante tutto questo a riproporre continuamente incontri con l'africano del momento?

Scrivevo, preparavo la cena per Giorgio, poi uscivo, andavo dai miei, trovavo la cena lasciata dalla Gianna sui fornelli pronta da scaldare, io preparavo un vassoio per mia madre, le facevo compagnia mentre mangiava a letto, il piatto per mio padre lo coprivo. Lui tornava tardi da Milano, mangiava da solo in cucina la cena già fredda, non gliela scaldavo una seconda volta, me ne andavo in soggiorno, si arrangiasse da solo. Sosteneva di avere dei grossi problemi in ditta, sosteneva che lo volessero mettere in prepensionamento, nientemeno. Enormi bugie, posso dire oggi, era esattamente il periodo in cui nella piccola industria farmaceutica dove lavorava stava finendo di sviluppare le due sostanze che avrebbero fatto la sua fortuna. Secondo Quintavalle, che aveva raccolto le confidenze del mio escrementizio genitore, la sequenza è stata:

– completare il protocollo di sintesi del Sildenafil e del Tadalafil;
– farsi prepensionare a bella posta dalla ditta;
– depositare i brevetti;
– venderli alla Pfizer mantenendo una significativa percentuale sulla commercializzazione dei farmaci che avrebbero preso il nome di Viagra e Cialis;
– trasferirsi a Brig;
– accumulare una fortuna.

In qualche punto di questa sequenza avevo preso anche a fermarmi certe notti a casa dei miei, la mia camera era ancora come l'avevo lasciata anni prima, il mio vecchio letto singolo a disposizione. Mia madre stava sempre peggio, aveva fitte continue, passava giorni con la flebo infilata nel braccio, il medico mi aveva autorizzata a somministrarle morfina, piccole dosi contingentate di cui ero io che mi occupavo, mio padre tornava da Milano sempre più tardi, alle nove di sera, alle dieci, credo che scegliesse con cura l'orario in modo da non dover ascoltare i lamenti animaleschi di mia madre causati dai dolori, quando lui rientrava lei di norma era sedata e già dormiva. Mio padre mangiava in cucina la cena preparata dalla Gianna, io mi sedevo in soggiorno a guardare la televisione sulle reti Mediaset, cercando nel loro inalienabile ripetitivo grottesco ottimismo un bastione contro il tragico che incombeva. Mio padre prendeva il cordless, chiudeva la porta della cucina, telefonava.

Erano mezz'ore di bisbigli, flebili a sufficienza perché non capissi cosa diceva ma non così a bassa voce perché io non mi accorgessi che la telefonata continuava. Non mi ero mai avvicinata, non avevo mai origliato, a mio padre non avevo mai chiesto spiegazioni. Certo che avevo pensato che fossero telefonate a una donna, a un'amante, era talmente evidente, ma avevo preferito conservare intatta la possibilità, benché lontanissima, che si trattasse d'altro, perché mai sarei riuscita a sopportare anche l'evidenza di quell'orrore. Il bisbiglio delle telefonate di mio padre nelle notti a casa dei miei era durato mesi. Poi mia madre era peggiorata, prossima alla morte era stata ricoverata in ospedale. Contestualmente, mio padre era scomparso. Se la domanda è se aveva lasciato una lettera, un messaggio, o anche solo qualcosa di organizzato, pagato, qualcosa di pronto per sostenere la catastrofe a venire – morte, funerale, sepoltura – la risposta è no. In ospedale mia madre era durata un paio di settimane, dopo la sua morte mi era toccato anche andare a denunciare la scomparsa di mio padre alle forze dell'ordine, non vi dico la piacevolezza dell'operazione mentre ero vicina al termine della gravidanza, ricerche in ogni caso al minimo, concluse con un prevedibile nulla di fatto. Che fosse vivo, trasferito in Svizzera a Brig circondato da una impenetrabile cortina di prezzolata discrezione, lassù costruendo il suo formidabile patrimonio grazie al brevetto dei due celebri farmaci in grado di promuovere l'erezione peniena, ebbene, lo avrei appreso solo dal caro Gualtiero Quintavalle oltre vent'anni dopo, all'atto di vedermi intestata la sua fantasmagorica eredità.

La Giraffa deglutisce un grosso boccone aiutandosi con un sorso di birra.

"Brivio, te mi devi la tua eredità," dice. Il barista ha preparato il panino burro e alici con due fette di pane tostato, lei se n'è lamentata, si aspettava, parole sue, una "micchetta imbottita", non "questo tostino per culattoni". La guardo e basta, non riesco a trovare la forza di ripeterle che il testamento è un falso senza valore.

"Dè, Brivio, non sto parlando del testamento, eh," dice, come se mi avesse letto nel pensiero. Prende il cappuccino, lo beve d'un fiato senza zucchero, stacca un altro morso generoso del suo sandwich.

"Sto parlando degli esperimenti di tuo padre," dice con la bocca piena, poi sempre con la bocca piena ridacchia pure. Smetto di guardarla, guardo un piccione solitario in cerca di briciole tra i tavolini del chiosco Mentana.

"Quali esperimenti?"

"Con chi credi che abbia sperimentato il funzionamento delle sue pilloline?"

D'improvviso capisco. Alzo una mano per dire basta, per impedirle di aggiungere altro, ogni ulteriore parola sarebbe intollerabilmente oscena.

"Assegno," dico, mentre frugo nella borsa, trovo la penna, il libretto, hai fatto bene a portarlo, bravissima Sara. Lo apro sul tavolo.

"Cinquantamila?" dico.

Lilly Ramella ride.

"Che braccino corto, Brivio, con cinquantamila in Svizzera sopravvivo neanche due anni. Fai cento."

"Centomila, va bene," dico mentre scrivo la cifra. La scrivo anche in lettere nello spazio apposito al centro del tagliando.

"Liliana," dico, riempiendo lo spazio per l'intestatario. "Ramella."

Poi stacco l'assegno.

"E la firma?" chiede lei, drizzando la schiena.

Io prendo l'assegno con due mani, lo strappo in due pezzi, poi in quattro, in otto, cerco di strapparlo in pezzi ancora più piccoli ma non ci riesco, quelli che ho in mano glieli tiro in faccia. Raccolgo il César, i miei occhiali, la mia borsa, afferro il quadernetto, scappo via con tutto quanto in mano mentre la Giraffa per una volta rimane in silenzio, boccheggia. Al barista del chiosco faccio segno che pagherò dopo, perché sto letteralmente correndo. Attraverso la strada senza guardare, quasi mi investe uno scooter. O forse è una vespa, una lambretta, che ne so io, so che è volgare, color fucsia con un decoro tigrato, e sopra ci sono il ragazzo e la ragazza che prima si sbaciucchiavano oscenamente, Ginevra, Lugano. Io d'istinto chiedo scusa, lui m'insulta, riparte. Mentre mi sfilano di fianco lei mi ruba di mano il quadernetto, mentre accelerano via lo usa per farmi ciao-ciao. Che due stramaledetti *cretini*. Quando apriranno il quadernetto per vedere che cosa stava scrivendo la vecchia scema troveranno questo:

"Pensionato?".

"Tappezziere?"

"Facciamo tappezziere. Perché sogghigna, dove sta andando, dove abita, chi lo aspetta a casa?"

"Con quante donne è stato a letto, ha mai avuto un rapporto omosessuale, ha mai mangiato foie gras, conosce la differenza tra ragò e ragù, è mai stato allo stadio, allo sferisterio, al velodromo Vigorelli, a un concerto della Premiata Forneria Marconi?"

Poi uno scarabocchio, infine, calcato come se volessi sventrare la pagina:

"Echissenefrega?".

13.

Il Cachi, lo Strega

Rientro a casa, sbatto la porta d'ingresso, mi trattengo a stento dallo sbattere allo stesso modo anche il César sul tavolino, lo rimetto a posto con cura solo perché memore della sua unicità, poi, piantata sul tappeto al centro dell'ingresso con le mani strette a pugno, urlo sillabe disarticolate anzi pure e semplici vocali, senza motivo, per il puro gusto di urlare, di sfogare la rabbia che ho in corpo. Un istante dopo anche la Gianna urla dalla cucina.

"Sciura Brivio, sa gh'è? La sta no ben?"

Io ancora stringo i pugni, ancora emetto metaforiche nubi di fumo dal naso ma almeno smetto di urlare.

"C'è niente, Gianna. Un po' di giramento di scatole ma tutto a posto. Cosa prepara oggi per pranzo?"

"Risòt giald, pulàstar rustì, e pö ho fai ancura i magiùstar cul vin nègar."

Tradotto sarebbe risotto giallo, cioè allo zafferano, pollo arrosto, fragole con il vino rosso. Io non ho fame, ma se c'è qualcosa che potrei riuscire a mangiare, questo qualcosa è ancestrale come il menu di oggi.

"Va benissimo, Gianna. Mi siedo in sala da pranzo. Appena è pronto porti pure."

Di là c'è prima un tramestio di stoviglie, poi lo sfrigolio del brodo che viene versato in padella per iniziare la cottura del riso tostato, infine il tono recriminante della Gianna: a quanto pare "la mé amisa" ha chiesto di apparecchiare fuori.

"Che amica?"

"La sciura Elena."

"E lei, Gianna?"

"Mi vurivi no," lei non voleva, brava Gianna, lo sa che la prima colazione nei mesi caldi mi piace sotto il salice ma pranzo e cena li voglio in casa non importa la stagione.

"Mi vurivi no ma la so amisa..." dice ancora la Gianna.

"La mia amica cosa, Gianna?"

"Ho preparà al tavul da föra," taglia corto lei. Io nemmeno sto a sentire se c'è altro, a me scatta qualcosa in testa, come una porta che si chiude violenta, la porta sul ripostiglio della razionalità, così che corro fuori, attraverso a passo di marcia il giardino, inquadro Elena nella radura centrale, Elena nuda sulla sdraio salvo che per un paio di occhiali da sole. La mia amica ha il computer in grembo, scrive furiosamente, così furiosamente che non mi vede, non mi sente, è in piena estasi creativa. Io se possibile m'infurio ancora di più, poi mi accorgo che ha le unghie dei piedi smaltate di un nuovo colore, granata, e l'idea che lei abbia trovato il tempo di darsi lo smalto alle unghie per poi mettersi qui a scrivere beatamente pare incredibile ma mi fa imbestialire ancora di più. Smanio, adesso, smanio erta come una generalessa ai piedi del lettino dove senza contezza di nulla sta distesa la mia amica. Caccio uno strillo disarticolato, lei salta per aria.

"Ma sei scema?" dice col fiato corto, guardandomi da sopra gli occhiali scuri.

"Sei scema *tu*. Come ti sei permessa?"

"Permessa cosa, Sara?" dice, mentre la sua voce nello spazio di tre parole è già scesa sui toni temperati che le competono.

"Di ordinare alla Gianna di apparecchiare fuori!"

L'ho urlato come se la stessi accusando di alto tradimento, inganno, molesta improntitudine. Lei fa sì con la testa, sospira, si leva gli occhiali, salva il file su cui stava lavorando, chiude il computer. Poi si tira su ruotando le gambe, mettendosi a sedere diritta, composta, i piedi ben accostati poggiati sull'erba di fianco alla sdraio.

"Mi dispiace. La Gianna se l'è presa? Ma guarda che non è che io abbia insistito più di tanto, gliel'ho chiesto, lei mi ha detto che tu preferivi dentro e io le ho risposto che ero sicura che con una bella giornata come oggi anche tu saresti stata contenta di mangiare fuori."

"Invece no!" strillo, colpendomi con un pugno il palmo della mano. "Preferisco mangiare dentro, guarda un po'!"

"Va bene," dice Elena. "Per carità. Mi sembrava solo che…"

"E invece no!" la interrompo urlando di nuovo, ripetendo il gesto di prima.

Elena alza le mani. Si tira in piedi, se ne va lemme lemme verso la porta-finestra con le natiche che ondeggiano maestose, con una grazia che mi fa invidia, con dei passi rapidi ma non affrettati, le mani sempre in alto in un gesto di resa ma anche di pace. Io sono un'idiota. Perché invece di tacere o di chiedere scusa urlo di nuovo.

"E Fanny? Dove cazzo è Fanny?"

Sulla soglia di casa, senza girarsi, Elena adesso le braccia le allarga.

"Non lo so. Fuori a pranzo, credo."

"E farmelo sapere, se esce? Dirmelo, magari, se non è a casa per pranzo? Avvisare, invece di farsi bellamente gli affari propri, di far lavorare la Gianna per niente, di… di…"

Non so che altro dire. Elena ormai è entrata, di sicuro non mi ascolta più.

Alla fine sto pranzando da sola in soggiorno con un piatto di risotto, una bottiglia d'acqua, niente vino, nient'altro, nemmeno le fragole. Mangio senza tovaglia, il piatto appoggiato sul fazzoletto di tavolo lasciato libero dai libri che partecipano alla seconda edizione del premio Brivo. Kostanza è fuori pure lei, chissà, forse seduta al mio tavolo di prima al chiosco Mentana, attraverso lo specchio-finestra del soggiorno il suo ufficio appare perfettamente vuoto di vita, ma se lo guardo bene appare anche per così dire pieno di felicità, gonfio com'è dalla luce del sole che fa brillare il libro con autografo di Kureishi ordinato quand'ero a Copenaghen, *The Buddha of Suburbia,* giunto a destinazione questa mattina. La mia elvetica segretaria l'ha lasciato al centro della scrivania, ma proprio al centro perfetto come se ne avesse determinato la posizione con squadra e compasso, insieme al portamatite, al telefono, a una gomma da cancellare marrone e blu. Ikebana pura.

Che *buono* il risotto della Gianna. Ma tu guarda adesso addirittura sorrido, anzi rido per tutta questa bellezza, tutta questa serenità, perché rendiamoci conto, il giardino esplode di sole, il soggiorno è impeccabile, ogni cosa dentro e fuori è esattamente al suo posto, linda, accomodata, questa mattina presto c'erano il giardiniere, l'impresa delle pulizie, una totale di sei persone che si presentano due volte la settimana nella mia bella casa solo per renderne sommo lo splendore. Rendiamoci conto, pure, che ho una biblioteca, una Jaguar, una cuoca tuttofare, una collezione d'arte, che se me ne viene l'uzzolo acquisto prime edizioni autografate, che dormo in hotel di lusso, che ho un premio letterario come giocattolo personale, fondi miliardari, una rendita di due milioni al mese. Non hai nulla al mondo da temere, Sara, nulla. Il tuo escrementizio genitore tradiva tua madre mentre lei giaceva a letto in fin di vita? È stato osceno ma tu ora stai bene, dalla sua meschinità tu ora trai un vantaggio sino a due anni fa del tutto inimmaginabile. Giusto, no? Allora pensa così, e non dirmi che quell'avida, proterva giraffaccia della Ramella, o peggio ancora quei due sciocchi ragazzini impertinenti, possono davvero farti perdere la pazienza. Finisco il risotto, facciamo che magari dopo passerò in cucina a prendere delle fragole. Adesso invece prendo il telefono e mando un messaggio a Elena.

"Scusa per prima, stamattina ho avuto un problema amministrativo complicato," invento. "Adesso è risolto, mi è passata. Scusa ancora, sono stata orribile. Ci vediamo nel pomeriggio per definire la terna del premio? Alle cinque in biblioteca, ti va?"

Poi scrivo anche a Fanny la stessa cosa. Chissà se Elena le ha telefonato per raccontarle della mia sfuriata, tra loro sono molto legate, persino più legate che con me, le avrà telefonato sì, e pazienza, chiederò ufficialmente scusa a tutt'e due. O per meglio dire, poiché sono incapace di pronunciare in pubblico quella parola, scusa, annuncerò a Elena e Fanny che il libro di Marina Breno, *Terno al lotto*, sarà il vincitore del Brivio seconda edizione.

"Com'è andata l'altra sera?" chiedo a Fanny quando io lei ed Elena ci sediamo al grande tavolo massiccio della biblioteca. Fanny mi guarda con gli occhi spalancati resi enormi dalle lenti degli occhiali.

"Com'è andata dove?"

"La presentazione. Quando ti ho telefonato da Vienna. C'era gente?"

Fanny fa una risatina coprendosi la bocca con la mano.

"Ah, la presentazione. Sissì, bene. Trenta persone. Mi perdoni se al telefono non ti ho dato retta?"

Io alzo le mani, per carità, ci manca solo che le parta l'accoratezza, in realtà quella che deve farsi perdonare sono io, dunque glissiamo. Le verso da bere, la Gianna ha portato su una bottiglia di Brunello, fette di salame, pane, cipolline rosse sottaceto, cetriolini, gorgonzola, vino da straricchi ma aperitivo viginùn, leggi vigevanese, a noi piace, ce lo consentite?

"E che libro presentavi?" chiede Elena, intanto che verso da bere pure a lei. "Ancora la dea?"

Intende *La dea di Brugherio*, Guanda editore.

"*La dea, La dea*," dice Fanny, poi subito beve.

"In una libreria?"

Fanny continua a bere, annuisce, s'infila in bocca due fette di salame.

"La Libreria del Morto in Casa," dice con la bocca piena, sembra una battuta ma invece esiste davvero, si chiama proprio così, anzi andateci che è di gran classe, cultura allo stato puro, distillata, che per presentare da loro deve raccomandarti come minimo un Nobel per la letteratura. Elena fa un fischio.

"Ma no, ma niente, era una cosa all'ultimo secondo, una sostituzione. Mi hanno mandato un'email il giorno prima, deve aver disdetto qualcuno," si schermisce Fanny deglutendo, aiutandosi con un altro sorso di Brunello, prendendo una fetta di pane col gorgonzola, masticando pure quella.

"E chi ti ha presentato?" chiedo io. "Vespa, Sala? Jovanotti?"

Ridiamo tutt'e tre, forse mi hanno già perdonata, forse davvero non c'è bisogno di parlare della mia sfuriata di oggi, anzi credo proprio che vada bene così, dimentichiamocene, grazie del vostro buon cuore, amiche mie. Nemmeno aspetto che Fanny mi risponda, perché ecco pronte le mie scuse:

"Allora, ragazze, il premio. Abbiamo la terna," dico. "Assolutamente El Panteròn, assolutamente Giorgio Nembro."

Faccio una pausa carica di suspense. Poi annuisco e lo dico.

"E assolutamente Marina Breno."

Elena mi fa doppio pollice recto, Fanny poggia il bicchiere, con i pugni fa un gesto di giubilo, poi dice anche una cosa che non si capisce, d'altronde sta masticando, anzi le sfugge un pezzo di pane di bocca, le cade sul vestito, rotola sul tappeto, finisce sotto il tavolo, di nuovo ridiamo tutte insieme. Ma intanto dobbiamo fissare la data. Io dei premi che non siano il Brivio ormai mi disinteresso, Elena e Fanny invece hanno ancora di queste curiosità mondane dunque mi ricordano che Daniele Castagnèr, alias El Panteròn, quest'anno è nella dozzina del premio Strega. Siamo a metà maggio, la votazione per passare dai dodici ai cinque finalisti che si disputeranno l'ambita bottiglia di liquore color zafferano si svolgerà a metà giugno, ma possiamo già dare per certo che tra i cinque ci andrà il nuovo spiritual-giallo del Panteròn, *Il coroner che profumava di guttaperca*, un romanzo di 118 pagine corpo 14 pubblicato da Rizzoli, perché uno come lui o è sicuro che andrà in cinquina o allo Strega non si fa neanche vedere.

"La serata finale al Ninfeo di Villa Giulia quest'anno è il 5 luglio," dice Elena, cercando la data sul suo cellulare, "quella del Campiello dovrebbe essere intorno al 10 settembre e forse El Panteròn finisce in cinquina pure lì. Noi mettiamoci a metà strada. Intorno alla fine di luglio?"

Io ho un'illuminazione.

"Aspetta," dico. Bevo un sorso di Brunello, alzo l'indice, poi parlo con il mio dito che scandisce il ritmo. "Noi non ci mettiamo a metà. Noi facciamo il Brivio *esattamente* il 5 luglio."

"Lo stesso giorno dello Strega?" Elena mi guarda esterrefatta.

"Proprio."

"Ma per lo Strega non è obbligatoria la presenza dell'autore alla serata finale?"

"Non lo so. Di certo è obbligatoria al premio Brivio."

"Per cui se ci mettiamo in concorrenza..." dice Elena, che comincia a capire.

"Per cui secondo te," dico io, "dove andrà El Panteròn? Qui a rischiare di prendere cinquecentomila euro o là a rischiare di arrivare secondo, terzo, magari anche quarto, e non vendere una copia in più?"

"A maggior ragione: quest'anno lo Strega lo vince Michele Cachi," dice Fanny, che è al terzo bicchiere, che ha gli occhiali storti, che si sta ingozzando di cipolline. "Lo danno tutti per certo."

"Aspetta," le fa Elena. "Com'è che s'intitola il romanzo nuovo di Cachi? Ha un titolo raccapricciante, però non ricordo con esattezza..."

"*Criptorrea.*"

"*Criptorrea*," ride Elena, anche lei al secondo bicchiere o più in là. "Ma come si fa? Ti si legano i denti solo a pronunciarlo."

"Le famose cachiate," dice Fanny.

Scoppiamo di nuovo a ridere come tre ragazzine.

"È sicura la voce su Cachi?" dico io.

"Suh," dice Fanny, la faccia di nuovo nel bicchiere, ma immagino signifIchi sì.

"Poi magari al Panteròn gli si fa un colpo di telefono" dico. "Magari qualcuna che lo conosce bene, qualcuna che ha visto qui in giardino."

Sto parlando a Elena.

"L'avrà ben capito che in qualche misura c'entri con il premio, no? Eri qui e per di più tutta nuda, è talmente ovvio che sei di casa."

Elena mette giù il bicchiere, mi guarda per un attimo, poi lo sguardo lo rivolge alle proprie mani, stendendo le dita.

"In effetti," dice, studiandosele. "Benché sia un mentecatto assoluto, immagino che abbia capito, che…"

"Non hai il suo telefono?" la interrompo. "Lo chiami, gli fai intendere che sai che il premio andrà a lui, non dici troppo, eh, sul resto mantieni un'aria di mistero, però gli lasci intendere così."

Elena sospira continuando a studiarsi le dita.

"Ma sì, anche. Però il telefono non ce l'ho. All'epoca dello Scaffaletto ho evitato accuratamente di lasciargli il mio, figurati prendere il suo."

Poi torna a guardare me.

"E poi Sara. Telefonargli proprio io. Con quello che c'è stato tra noi, dai."

"Aspetta," dice Fanny alzando una mano. Con l'altra, che regge il bicchiere, fa tutta una manovra complicata per sistemarsi gli occhiali senza rovesciare il vino.

"Aspetta," ripete. "El Panteròn è ancora a Milano. L'ho visto fuori dall'Hotel Ariston stamattina. Mi ha riconosciuta, anzi mi ha anche salutata. Se devo proprio dire è stato molto simpatico. Invece di telefonare si può andare lì."

"Dai Fanny. Già mi scoccia telefonargli, adesso dovrei addirittura incontrarlo?"

"Ma no," dice la mia amica nonché autrice de *La Dea di Brugherio*. "Ci vado io."

Poi suona il citofono di via Saterna, subito di là in ingresso si sente la Gianna che risponde "chi l'è?", subito dopo ancora ci urla questo:

"L'è la stcemba cul vistì russ". Ovvero la squilibrata col vestito rosso, al secolo Ramella Liliana.

"E lei la mandi a da via il cü," sbottiamo io Elena e Fanny, come una sola donna.

14.

La durezza del corvo

L'amicizia con Elena e Fanny la devo a Emiliano Corvo,
anche lui uscito con Aldo Nove, Isabella Santacroce, Niccolò
Ammaniti nel periodo di *Gioventù cannibale* però rimasto
sempre a lato, oppure sopra, insomma non si sa bene in quale
esatta posizione comunque non allineato. Si dice di lui che
sia stato la vera mente pensante della nuova narrativa italiana
negli anni novanta, ne era il teorico, a tutt'oggi è più di ogni
altro lo scrittore italiano innovativo, quello puro, quello tenuto in palmo di mano dalla critica più legata alle avanguar-
die, alla ricerca formale, la critica più ostica, volitiva, intran-
sigente, genere Barilli, Guglielmi, Cortellessa, Schiantamorte.
Nella primavera del '96 ero a un festival oggi defunto dal
nome raccapricciante quanto il titolo di un romanzo di Cachi, *Letturìgini*. Ogni anno un gruppo di entusiasti brianzoli
organizzava questa tre giorni con soli scrittori esordienti, che
allora uscivano a frotte, che costituivano di fatto un genere
letterario a sé, erano tre giorni di incontri estenuanti distri-
buiti tra le cittadine di Cantù, Figino Serenza, Vertemate con
Minoprio, provincia di Como, piena Brianza. Noi autori dor-
mivamo tutti nello stesso hotel, il Lagoscuro di Montorfano,
tre stelle volendo essere generosissimi, gli eventi terminava-
no alle sette poi ognuno cenava in una pizzeria nella cittadina
dove aveva fatto l'ultima comparsata pomeridiana, infine
passava una ronda di volontari che ci riportava in albergo. A
quel punto la notte non era che all'inizio ma a Montorfano

non c'era nemmeno un bar. Alle nove, dunque, tutti scendevamo nella hall instupiditi, malinconici, perché non c'era altro da fare che stare tra noi a raccontarci quant'era andata male di pomeriggio, venti persone agli incontri, non meglio la mattina nelle scuole, certamente più ragazzi ma solo dieci su cinquanta che prestavano attenzione, gli altri quaranta che chiacchieravano, ridevano, tiravano palline di carta inumidite di saliva con la cannuccia delle Bic. Io avevo dovuto portare con me Monica nonostante stesse per compiere solo quattro anni, Giorgio a casa non l'aveva voluta tenere. Aveva sostenuto che di mattina non ce l'avrebbe fatta a portarla in tempo all'asilo perché aveva sempre lezione alla prima ora, aveva sostenuto inoltre che non sarebbe stato in grado di prepararle da mangiare, le sue competenze si fermavano all'uovo al tegamino, infine aveva sostenuto anche e soprattutto che era nel momento di massima criticità nella scrittura del suo secondo romanzo, quello che sarebbe poi uscito con Neri Pozza, dunque follia disturbarlo proprio allora, la bambina a casa con me, dai Sara, stiamo scherzando? Così mi portavo Monica nelle scuole brianzole, nelle biblioteche, nelle librerie, povera bambina, anche se in fondo non si annoiava, io parlavo lei girellava tra il pubblico, delle venti anziane presenti cinque mi ascoltavano quindici la vezzeggiavano, poi veniva da me mentre stavo parlando, perfettamente conscia dell'attenzione che si focalizzava su di lei, strappava un sorriso persino ai ragazzini delle medie, riponevano le loro cerbottane Bic quando Monica si sistemava sulle mie ginocchia, mi faceva degli abbracci, mi dava dei bacetti. Se c'era il banchetto dei libri io vendevo qualche copia in più, una figlia graziosa aiutava, soprattutto se avevi esordito con un titolo come *Il pane e la morte*.

Nella hall del Lagoscuro c'erano dei salottini, ciascuno quattro poltrone attorno a un tavolino, era la seconda sera del festival, mia figlia stava da sola su una poltrona con dei libri a finestrelle, dei libri con superfici morbide oppure ruvide da toccare, dunque apriva, toccava, si raccontava da sola delle storie parlottando mentre io ero seduta nella poltrona di fianco, nelle altre due Elena e Fanny. Al *Letturìgini* eravamo le uniche donne, non potevamo che trovarci tra noi, poi c'era anche la bambina quindi figuriamoci. Conoscevo i loro libri, li avevo letti, non le avevo però mai incontrate di persona, *Papere da capogiro* era l'esordio di Fanny per Addictions, *Immense labbra* quello di Elena con Castelvecchi, e se pensate a un doppio senso ebbene c'era. Comunque non è che lì avessimo legato particolarmente: stavamo tra noi, chiacchieravamo, ognuna però sulle sue evitando di esporsi, piuttosto studiandosi, cercando di non sembrare né più colte né più ignoranti delle altre, in una forma di rispetto che è l'alternativa unica possibile alla competizione, allo scontro, all'odio, lo sapete, no, che gli scrittori fanno così, le scrittrici peggio ancora? Dunque, mentre bevevamo cognac in bicchierini di plastica, roba comprata nel pomeriggio in un minimarket di Figino Serenza memori della morte civile della sera precedente, noi tre ci stavamo raccontando di quanto fossero stati detestabili i ragazzini della scuola media di Cantù quella mattina, quando nella hall era sceso Emiliano Corvo.

Indossava un completo nero, una camicia bianca slacciata per tre bottoni ed era a piedi nudi. La hall dell'hotel Lagoscuro, va detto, non era provvista di moquette. Con un'occhiata circolare aveva studiato i salottini, ci aveva individuate oppure aveva individuato la bottiglia di cognac, in ogni caso con le mani in tasca si era diretto senza esitare verso il nostro quartierino, si era arrestato con decisione di fianco alla poltrona dove Monica continuava a giocare, mia figlia l'aveva guardato per un attimo, lui no.

"Che bevete?" aveva chiesto.

"Cognac," aveva detto Elena ammiccando verso la bottiglia che era un Martell, l'etichetta rivolta in agevole vista verso l'autore di *Le sarchiamèridi*, romanzo eletto esordio dell'anno 1995 al convegno "Ricercare" di Reggio Emilia, titolo che faceva legare i denti ma colto omaggio all'omonima collana anni sessanta di Vallecchi, trovata che aveva fatto sdilinquire i famosi critici ostici, volitivi ecc. Se Elena era rimasta indifferente a Corvo, Fanny era arrossita, aveva spinto gli occhiali contro l'attaccatura del naso, aveva dimenato il corpo cilindrico sulla poltrona per cercare una posizione più comoda. Io avevo guardato i piedi nudi di Corvo, ipotizzando che fosse pazzo.

"È occupata?" aveva detto lo scrittore, le mani sempre in tasca, indicando col mento la poltrona dove Monica aveva ripreso a giocare. Avete notato come gli scrittori, intesi nel senso di quelli di sesso maschile, tendano a ignorare i bambini a meno che non abbiano scritto un libro per l'infanzia e l'infante medesimo ne faccia specifica menzione? La poltrona era *totalmente* occupata da mia figlia, eppure Corvo:

"Mi siedo e bevo un cognachino anch'io?".

Le mani in tasca come prima, aveva fatto di nuovo cenno alla poltrona su cui giocava Monica.

"La prendo io?" mi aveva detto Fanny.

Io mi ero stretta nelle spalle, lei aveva preso Monica con i suoi libri, se l'era messa in grembo, mia figlia le aveva rivolto un bel sorriso, Emiliano Corvo si era seduto.

"Tu sei?" aveva chiesto a Elena, accavallando le gambe, di fatto così esibendo la pianta del piede sporca, callosa, un orrore, doveva averla per abitudine quella di camminare scalzo per il mondo.

"Elena," aveva risposto lei, guardandolo con le sopracciglia appena inarcate. Corvo si era acceso una Gauloises senza chiedere se ci dispiacesse, tenendola tra le dita aveva annuito facendo anche un gesto circolare che significava sì, ho capito, Elena, e poi?

"Beltrami."

"Mh, mh," aveva annuito di nuovo Emiliano Corvo, aspirando la sigaretta.

"*Immense labbra*," aveva detto, esalando il fumo dalla bocca contratta a culo di gallina, gli alluci chissà perché piegati a novanta gradi.

"Io sono Fanny Moschino," aveva detto l'altra mia futura grande amica, lottando con mia figlia che le aveva preso gli occhiali, cercando di evitare che le pasticciasse le lenti con le dita.

"Mai sentita nominare," aveva detto Corvo senza guardarla, gli occhi come fessure che non smettevano di fissare attraverso la cortina di fumo il corpo di Elena che straripava dentro un vestitino aderente.

"Ho scritto *Papere da capogiro*."

"Bel titolo di merda," aveva risposto Corvo, sempre guardando Elena, non Fanny, di nuovo contraendo a quel modo gli alluci, come in un ciao-ciao fatto però con le dita dei piedi. La mia povera amica aveva avuto una ben curiosa reazione: aveva emesso un suono che non avevo mai udito prima, somigliante a "uh" ma con l'acca davanti, "hu", come se le fosse sfuggita d'un colpo tutta l'aria dai polmoni.

"Tu invece sei quella del *Pane e la morte*," aveva detto Corvo, tornando a ignorare Fanny, indicando me con le due dita tra cui reggeva la sigaretta. Io l'avevo fissato senza riuscire a trovare niente da dire, anche a me mancava il fiato come a Fanny.

"Libello carino," aveva detto. "Buon titolo."

Libello? Buon titolo? Erano quattrocentoventi pagine in cui c'era quanto sentivo di più importante della mia vita sin lì, d'altronde è quello che facciamo quando scriviamo il nostro primo romanzo, ci rovesciamo dentro tutto, se cercate l'anima rovente di uno scrittore la troverete dentro il suo esordio, non nelle spigolature che sono i libri della maturità. Nel mio c'erano la rinuncia allo studio, la rinuncia all'alveo accogliente della famiglia dei miei, un padre escrementizio scomparso nel nulla mentre la madre della protagonista moriva di cancro, l'isteria di un marito primadonna ossessionato dalle partouze, le difficoltà economiche del vivere con uno stipendio solo, piccolo, inabilitato a crescere. C'era una bambina, mia figlia, nel mio romanzo d'esordio, c'erano lei e il bene che volevo a quel minuscolo essere appena senziente, àncora di salvezza in mezzo alla babele della mia vita. Un libello con un buon titolo, mi aveva detto Corvo.

"Tu sei quello delle *Sarchiamèridi*, invece?" gli avevo chiesto, ma non avevo atteso risposta. "Non riesco a immaginare titolo più orrendo e allo stesso tempo spregevolmente leccaculo."

"Eh la madonna!" aveva detto lui scoppiando a ridere. Poi aveva proposto con sussiego un altro giro di cognac.

Le conseguenze di quella mia battuta erano state un falso cameratismo di Corvo per il resto della serata e una sequenza ininterrotta di sue recensioni negative a ogni mia nuova uscita, benché sulla rivista tirata in trecento copie "Nuovo Sillabario", dunque chissenefrega. Altre conseguenze del nostro piccolo salotto male assortito erano state ulteriori umiliazioni a danno di Fanny, che cercava di non lasciarsi sopraffare dalle lacrime con tentativi di conversazione sistematicamente respinti da Corvo, ma soprattutto la piaggeria con cui l'autore delle *Sarchiamèridi* si era rivolto a Elena nello scoperto tentativo di concludere con lei.

Era durata quasi un'ora la sua concione sulla scrittura, rivolta esclusivamente alla nostra amica formosa, una concione in cui Corvo – il tono oracolare, lo sguardo fiammeggiante – aveva usato innumerevoli volte i concetti allora di gran moda di *urgenza*, di *necessità*, nonché lasciato cadere, come fosse una rivelazione, l'inflazionatissima cretinata secondo la quale per uno scrittore vero, in un romanzo vero, accade che i personaggi a un certo punto prendono a vivere di vita propria e la storia se la scrivono loro. Insomma i tuoi personaggi a un certo punto diventano autonomi e ti parlano. Mentre Corvo blaterava così mi era venuto da chiedergli come, si presentano alla porta, ti chiamano al telefono, ti mandano un fax? Vai a sapere, lui aveva ignorato i miei sarcasmi, aveva continuato a martellare imperterrito Elena, che come reagisse io non lo capivo, mi pareva assecondasse le avance di Corvo ma non ne ero sicura, forse gli stava solo dando corda per prenderlo per i fondelli, gli indizi erano minimi, erano spostamenti nella postura, erano una punta di lingua passata tra le labbra, un sandalo lasciato cadere che l'aveva ricondotta a una nudità podalica che corrispondeva a quella dello scrittore. Che poi aveva provato, e intendo Corvo, a mettere in atto una manovra tutta intellettuale che evidentemente, nelle sue intenzioni, doveva avvicinarlo a Elena su un piano carnale, stabilendo un contatto tra la loro parte istintuale, genitale. Prendendo il via dalla ricomparsa del dolore, del male nel mondo, chiaramente individuabile nelle opere della nuovissima generazione di scrittori italiani, Corvo si era spostato alla ricomparsa del sangue, utilizzando quello stratagemma per gettare sul tavolo questo angoscioso interrogativo:

"Perché voi scrittrici non parlate mai di mestruazioni?".

L'avevamo fissato sbalordite, lui era andato avanti a chiedere.

"Vi vergognate? È un retaggio dell'educazione borghese? Del catechismo? Della scuola dell'obbligo? Invece dovreste esibire il vostro sangue, parlarne con orgoglio, farne una bandiera."

Meno male che a quel punto erano le dieci di sera, Monica era crollata addormentata sulle gambe di Fanny, altrimenti mi sarebbe toccato anche spiegarle di cosa stavamo parlando cercando di evitarle un trauma.

"Io per esempio nelle *Sarchiamèridi* ho parlato di traspirazione. Di ascelle. Di piedi. Ma anche degli odori di casa, della cucina, del secchiaio intasato, del bagno dopo che l'ha utilizzato un ospite. Ci ho dedicato tre pagine al bagno dopo che ci è passato l'Ospite Senza Nome, la *bête noir* del mio protagonista. Ho strologato sul dettaglio dei suoi odori indicibili rincorrendo similitudini, radici, aree d'appartenenza. Come un sommelier."

Secchiaio? Strologato? Sommelier? Va detto che a quel punto Corvo aveva bevuto parecchio, più di un terzo della bottiglia di cognac se l'era scolata lui.

"L'*ironia*," se n'era uscito di punto in bianco, balzando via come un grillo dal sangue e dalle puzze. "La deleteria ironia lasciamola ai librini d'impronta fighetto-borghese, a Renzo Arbore, a coso, lì, lo pseudofilosofo napoletano, come si chiama... De Crescenzo!"

Ma che c'entrava?

"Arbore, De Crescenzo, Gianni Brera: tutta la stessa broda."

Gianni Brera?

"La letteratura va presa sul serio! L'ironia ti sputtana! Tu sei sputtanata, tu, tu," aveva detto indicando forse me forse Fanny, poi versandosi altro cognac. "Tu e la tua ironia! Ma chi vuoi che ti caghi?"

"*Immense labbra* invece è bbello," aveva aggiunto trasognato, sorseggiando il liquore. "Un po' troppo 'voi donne anni novanta', un po' troppo pulitino, niente sangue, niente odori, un po' troppo depilato, però è proprio bbello."

Aveva smesso la sua posizione a gambe incrociate, le aveva allargate, si era sprofondato ancora un po' nella poltrona, aveva guardato Elena con fissità, si era dato una scrollata al cavallo.

"È duro," aveva detto.

"Ah, ma io ho su l'ammorbidente," gli aveva risposto Elena, alzandosi di scatto.

"Stai pur lì," aveva aggiunto, poiché Corvo non aveva capito. "Stai pur lì buono che il Vernel te lo porto giù io."

L'avevamo accompagnata in camera ridendo di Corvo, insultandolo, ripetendoci le solenni sciocchezze ritrite che ci aveva ammannito come perle di saggezza, rabbrividendo per le sue idee disgustose sulle mestruazioni, le ascelle, i piedi. Avevo messo a letto Monica, la mia stanza e quella in cui dormivano Elena e Fanny erano comunicanti, avevo lasciato la porta aperta, ero andata da loro a continuare il nostro allegro linciaggio dell'uomo di punta, del teorico della nuova narrativa italiana. Poi, quand'era stata mezzanotte, Fanny era scesa in punta di piedi, si era affacciata nella hall e, come aveva immaginato, Corvo era ancora là, addormentato sulla poltrona. Elena ce l'aveva davvero la bottiglia di Vernel, viaggiava sempre con i detersivi e anche con un ferro da stiro, Corvo l'avrebbe trovata una cosa molto voi donne anni novanta troppo pulitine, comunque Elena il Vernel l'aveva portato giù, l'aveva piazzato tra le gambe di Corvo, infine aveva fotografato lo scrittore con l'ammorbidente adagiato in grembo.

Della foto ne avrebbe stampato tre copie, la mia ce l'ho ancora, le mie due amiche anche. Posso perdere la testa, certi giorni posso detestarle, posso aver bisogno di uno schermo di vetro che ci eviti una vicinanza troppo intima, ma a Elena e Fanny da allora io voglio un bene dell'anima.

La Giraffa là fuori sembra aver preso per buono il nostro invito, esteso dalla Gianna, a condividere generosamente il proprio posteriore, perché il citofono ha finalmente smesso di suonare. Verso alle mie amiche quel che rimane del Brunello, interrompo i loro ragionamenti su quali giornalisti invitare alla nostra premiazione, su come strapparli alla concorrenza dello Strega.

"Però," dico, "al prossimo giro, un libro di Corvo al Brivio lo dovremmo assolutamente portare."

"Dovremmo," dice Elena. "Peccato che glieli abbiano sempre sommersi tutti di premi e non ce ne sia rimasto uno candidabile."

Sto per proporre una modifica ad hoc del regolamento ma arriva un messaggio sul cellulare da parte della Giraffa, scema io che le ho dato il numero.

"Non ti interessa nemmeno sapere perché tuo padre se n'era andato? Non ti interessa sapere che cosa mi diceva di te?"

D'improvviso è come se mi librassi nuda su una distesa ghiacciata, facciamo l'Antartide, pronta a cadere. D'istinto spengo lo schermo. Poi lo riaccendo, rileggo il messaggio, penso a qualcosa da risponderle ma niente mi sembra adeguato. Devo terminare il mio bicchiere di Brunello prima di arrivare alla decisione giusta, l'unica. Cancello il messaggio, poi blocco il numero di Lilly Ramella.

15.

L'arte della citazione

È passato qualche giorno, è cominciato giugno, Monica mi manca disperatamente come del resto sempre in questi dieci anni trascorsi da quando la nostra famiglia è andata in pezzi, per questo sono qui a Vigevano anche questa notte, ci ho messo in mezzo due viaggi, ho resistito tre settimane dalla volta in cui mi è apparsa Lilly Ramella in soprabito rosso, ma di più non potrei. Chissà se mia figlia se l'è immaginato trovandomi sotto casa quella notte di maggio che la mia presenza fosse un'abitudine anziché un accadimento eccezionale, chissà se si è accorta della Jaguar con cui sono scappata dalle grinfie della Giraffa, chissà se sospetta che non abito più nell'abietto condominio degli egiziani, chissà anzi se lei, e suo padre, si sono posti un qualunque interrogativo su di me dal duemilaotto a oggi. In ogni caso per precauzione in via dei Mulini ci arrivo a piedi, la Jaguar l'ho parcheggiata in corso Genova a due passi da dove una volta c'era la cara pizzeria Panarea dell'amico Kobar, oggi un franchising di sigarette elettroniche. Ho il mio cappello di paglia a falda larga, indosso un lungo cardigan bianco di due misure troppo largo, porto un paio di occhiali non da vista, questi hanno lenti di vetro con grande montatura a guisa di quella resa celebre da Sandra Mondaini, è un camuffamento. C'erano degli arabi fuori dal baretto in capo alla discesa di via dei Mulini, direi egiziani, sono il mio tormento gli egiziani, mi hanno fatto quel verso che fanno gli egiziani quando pretendono di rimorchiare una sconosciuta, "nz-nz" come se avessero del prezzemolo incastrato tra i denti, avranno mai davvero rimorchiato qualcuna nella storia dell'umanità con quest'imbarazzante "nz-nz"? C'erano gli egiziani al baretto, c'è un gruppetto di ragazzi che parla fitto qui in basso, c'è musica che rimbomba in strada: è il caldo esploso in questa primavera che già sembra estate, niente più deserto come solo tre settimane fa.

Quando arrivo sotto al condominietto di mio marito mi accorgo che la musica viene da qui. Non vorrei dire sciocchezze ma il pezzo mi sembra *I Will Survive* di Gloria Gaynor, dai che la conoscete, avrete almeno visto la scena di *In & Out* quando Kevin Kline mette su la cassetta di esercizi di mascolinità, parte un pezzo, lui dovrebbe star fermo ma non riesce a resistere, ci balla follemente sopra, ecco, quella è *I Will Survive*. Le finestre dell'appartamento di mio marito sono spalancate, *I Will Survive* esce a tutto volume mentre il suo amico africano si affaccia a torso nudo, da quaggiù non riesco a vedere il resto, mi auguro che abbia almeno le mutande, in ogni caso brandisce una bottiglia credo di whisky, ne prende un sorso, poi orrore degli orrori ecco Giorgio che arriva a torso nudo pure lui. Abbraccia l'amico da dietro, accenna degli ancheggiamenti da orso ballerino poi affonda la testa tra le scapole dell'africano, d'altronde gli arriva a quell'altezza, poi ancora gli passa davanti, si affaccia alla finestra, per un assurdo istante penso che si voglia buttare di sotto invece allarga le braccia e canta.

"Do you think I'd crumble?"

Canta a squarciagola.

"Did you think I'd lay down and die?"

Canta ebbro come Trimalcione in piena orgia.

"Oh no, not I. I will survive."

Canta così finché si apre la finestra dell'appartamento di fianco, quello del geometra Gallina, che è in pigiama, è infuriato, sbraita.

"Des basta, vi'altar cülatùn!"

Adesso cortesemente smettetela, voialtri omosessuali.

"Des ciami i vigil, sbasìv la müsica!"

Adesso abbassate per gentilezza il volume della musica, o sarò costretto ad avvisare i vigili urbani.

"Vadavialcù, pulàstar," gli schiamazza contro mio marito, con gesto a seguire. Pulàstar significa pollo, immagino si tratti di un calembour basato sul cognome del geometra, in ogni caso mi pare chiaro che ho scelto la sera sbagliata per il mio appostamento vigevanese, mi toccherà tornare un'altra volta per vedere mia figlia, è evidente che dormirà fuori. Stante l'euforia, mi pare chiaro anche che a Giorgio debba essere arrivata la raccomandata inviata dalla cara Kostanza, in cui gli si comunica che il romanzo *L'odissea di Bernard Kaboré* è tra i finalisti del premio Brivio seconda edizione. Ritorno in corso Genova ma con il giro largo da via Rossini evitando gli egiziani del baretto con il loro "nz-nz", mentre appunto mentalmente di aggiungere anche loro alla lista degli assegnatari di un trattamento mazzuolativo da parte dell'ipotetico bruto che devo decidermi al più presto a ingaggiare.

La mattina dopo faccio colazione in accappatoio con Elena e Fanny sotto il salice, loro dopo corrono a mettersi nude per una mattina di lettura sotto il sole, io invece salgo a vestirmi perché ho fissato un consulto con Kostanza: Marina Breno non si riesce a trovare.

L'ufficio della mia segretaria è illuminato dal sole, sul mobiletto basso alle spalle della scrivania c'è un vaso con un mazzo di rose, il profumo riempie la stanza. La grande finestra affacciata sul giardino ha la veneziana alzata, le mie amiche sono là sulle sdraio, nude, beate. Kostanza sta scrivendo a mano gli indirizzi sulle buste degli inviti, sono più di cento ma ci tengo che il premio Brivio sia diverso anche in questo, niente etichette prestampate da una lista Excel. Solo quando ha terminato la busta che stava meticolosamente vergando la mia elvetica segretaria ritiene di potermi rivolgere la parola.

"Ho chiamato di nuovo la casa editrice La Buon Corsiero ma hanno ribadito che non intendono fornirci un contatto diretto con la signora Marina Breno. O signorina, anche questo non hanno inteso chiarirlo."

Me lo dice sconsolata come se fosse una colpa per la quale è pronta a ricevere la giusta punizione. Io sbuffo perché è da giorni che andiamo avanti così.

"Tu gli hai fatto presente che se non verrà alla serata non potremo considerare il suo libro per la premiazione?"

"Sì. Perlomeno ho ricevuto un riscontro positivo. 'Abbiamo sentito l'autrice,' ha detto l'editore, il signor Marco Marena. Ha detto, sto citando, 'ci sarà al cento per cento, garantito al limone'. Il signor Marco Marena mi ha anche confermato che non occorre prenotazione di aereo, taxi o treno. 'L'autrice arriverà alla serata con mezzi propri,' mi ha detto." Kostanza controlla sul computer, non credo che sia un'email, lei preferisce il telefono, è un appunto. Ha redatto un resoconto della telefonata, anzi sarei pronta a scommettere che prima di riappendere ha riletto il testo all'editore per verificare se confermava ogni parola.

"Sì," dice annuendo, soddisfatta di sé. "Ricordavo con esattezza. Niente mezzi, niente hotel, partecipazione al cento per cento, limone."

"E vada per l'editore che conferma. Ma noi siamo sicure? L'editore con questa qui, con la Breno, ci ha parlato davvero? Non si può proprio sentirla di persona?"

Kostanza abbassa la testa, la scuote.

"Mi è stato detto che l'autrice rifiuta categoricamente di diffondere i propri contatti, il nome stampato in copertina è uno pseudonimo, intende mantenere una completa riservatezza. Il tema del romanzo per lei è sensibile."

"Stai citando?"

Kostanza alza un dito come a dire aspetti, con il mouse fa scorrere un documento sullo schermo.

"L'autrice non intende diffondere i propri contatti," legge. "Pseudonimo, rigorosa privacy, romanzo con tema sensibile."

Io mi arrendo, per carità, posso capire. Anche se ho sempre vissuto la condizione di scrittrice ignota ai più, per ogni libro pubblicato mi sono capitate almeno un paio di squilibrate con cui non avevo mai avuto la benché minima relazione che ugualmente si riconoscevano nella protagonista o nella sorella o nella madre, minacciando azioni legali. Poi mai messe in opera, devono averle tutte internate prima.

"Però siamo lo stesso sicure che viene?"

"Vuole che chieda un documento scritto all'editore?" mi chiede Kostanza. "Cito: 'Posso farle arrivare una conferma autografa dell'autrice, che mi ha dato la sua disponibilità'."

Io alzo le spalle, la conferma scritta non cambia niente. Piuttosto se all'ultimo secondo la Breno o come accidenti si chiama non venisse faremmo cinquanta voti pari tra mio marito e El Panteròn, c'è una clausolina nel regolamento del premio, in caso di parità tra due finalisti non c'è assegnazione, sai anche così le risate alla faccia dei due mentecatti.

"E quell'altro? Almeno El Panteròn ha confermato?"

"Il signor Daniele Castagnèr?" A Kostanza sfugge un nitrito d'ilarità, chiamarlo signore dev'essere ironia. "È passato questa mattina mentre lei era fuori."

"Come passato? Cosa fa ancora a Milano?"

"Sfortunatamente non ha inteso comunicarmelo. La visita è stata breve, ha solo confermato la sua presenza la sera della premiazione e ha lasciato queste."

Indica le rose alle sue spalle, sono una dozzina, El Panteròn potrebbe aver speso quasi cinquanta euro, è impazzito?

"Ha lasciato anche un biglietto di ringraziamento."

Kostanza estrae una busta dal cassetto, la fa scivolare verso di me sul piano della scrivania.

"Grassie del bel riconossimento per la mia picola opera modestisima." Quindi non fa così solo nel parlato, è proprio un ignorante a tutto tondo, mi immagino le mani nei capelli che si devono mettere i redattori in casa editrice quando arriva un manoscritto di Daniele Castagnèr. "Vorrei avere l'onore di ringrassiare di persona l'eccelente comitato scientifico. Lassio un mio numero di telefono, nel casso."

Nel casso? Comunque segue cellulare.

"Inoltre ha chiesto se…"

Fa scorrere qualcosa con il mouse, poi fa doppio clic.

"Cito: 'Se fosse possibile avere un pocolìno di rimborso del costo dell'hotel, dato che mi sono fermato qui a Milano per il motivo del premio, la bella signorina'."

Io spalanco gli occhi.

"E tu?"

Kostanza arrossisce.

"Non sono riuscita a trattenere una risata, signora Brivio."

Rido pure io, me la immagino che nitrisce in faccia a quello sfrontato del Panteròn.

"Poi gli ho detto che il regolamento non permette alcun rapporto economico con i partecipanti né prima né dopo la premiazione, salvo naturalmente l'eventuale assegno del vincitore."

"Giusto," dico. "Però facciamo che lo trattiamo bene. Facciamo che per la serata del premio al signor Castagnèr, che sistemiamo al Manin, gli facciamo assegnare una junior suite, eh? Così pensa chissà che. Chiamalo pure, dopo. Digli pure che hai menzionato il suo caso ai finanziatori, che hanno capito il suo problema, che non si può fare nulla, ma che gli riserveranno il miglior trattamento possibile per la premiazione."

"Ha chiesto anche se per il premio un'auto potrà andare a prenderlo, cito, 'su nella mia baita umile nella valle selvaggia'."

"Selvaggia? Ma se sta praticamente alla periferia di Schio, altitudine duecento metri! Comunque manda pure qualcuno che lo porti a Milano. Anzi, Kostanza, fai così: gli mandi una macchina di quelle lunghe, volgarissime. Una limousine."

Kostanza prende nota.

"Scegline una con gli interni in radica così El Panteròn si sentirà un po' nella valle selvaggia anche lì."

Poi mi sovviene.

"E quell'altro? Che ha fatto quell'altro? Giorgio Nembro ha chiamato?"

Kostanza annuisce, apre un altro file al computer, cita.

"Ha detto 'confermo senz'altro la mia presenza. Sarà possibile portare ospiti?'." La mia segretaria mi guarda. "Su questo però aspettavo il suo parere."

"Quanti ospiti?"

"Tre."

"Digli di sì e manda la limousine pure al Nembro."

Se sono tre significa che sono i suoi famosi tre amici di sempre, il bisunto poeta dialettale Aldo Gho, lo scalcagnato bibliotecario in pensione Rodolfo Scarabelli, il cadaverico insegnante di italiano nonché anima della locale società storica Sergio Carminati Barbè. Giorgio non porterà l'amico africano, figurati se da sobrio si fa vedere in pubblico con lui, me l'aspettavo, però non porterà neanche Monica, su questo invece un po' ci avevo sperato. La sera del premio resterò nascosta come l'altra volta in biblioteca a guardare tutto dalle telecamere, ma mi avrebbe fatto piacere se Monica fosse venuta, se, anche non essendone consapevole, si fosse aggirata nel giardino della mia nuova casa.

"Kostanza, lo sai che questo Giorgio Nembro è mio marito?"

La segretaria svizzera mi fissa impietrita.

"A dire il vero signora Brivio io non sapevo nemmeno che lei fosse sposata."

"Perdona, mi sono spiegata male. Sono divorziata da sette anni. Giorgio Nembro è il mio ex marito."

"Ma nel regolamento del premio si dice che non ci può essere grado di parentela alcuna tra premiati e membri della giuria."

Fuori, in giardino, come in un numero di nuoto sincronizzato ma senz'acqua, dalla posizione supina in cui si trovano, le mie due amiche si alzano a sedere sulle sdraio, si calcano bene in testa i cappelloni di paglia, si riadagiano in posizione prona. Posso vedere il rimarchevole sedere di Elena riflettere abbagliante il sole come una pagoda dorata, dev'essersi cosparsa di olio abbronzante, il sedere di Fanny invece assorbe la luce, è opaco, disposto con una volumetria che non riesco mai bene a definire, non tonda ma squadrata, anzi ecco, forse questa volta ci sono, da trapezio isoscele.

"Kostanza, ti sembra che esista una giuria? Ti sembra che il premio abbia una qualche regola di sorta se non fare come dico io?"

La mia segretaria inarca le sopracciglia di un millimetro, credo che trovi tutto questo molto italiano ma lo sapeva già, solo che non aveva ancora fatto mente locale.

"In ogni caso se siamo divorziati dov'è la parentela? E poi non vincerà niente. Lui è uno dei due cretini."

"Posso ipotizzare che l'altro sarà il signor Daniele Castagnèr?"

"Ipotizza liberamente."

"Dunque vincerà la signora, o signorina, Breno?"

"Esatto, Kostanza."

"Mi fa piacere. Se posso esprimere un pensiero..."

La mia segretaria mi guarda attendendo il via libera del suo principale.

"Sei autorizzata, Kostanza."

"Volevo dire che mi fa piacere anche che non vinca Castagnèr, e nemmeno suo marito. Ex marito. Il signor Giorgio Nembro."

In giardino Fanny sì è alzata dalla sdraio per rispondere a una telefonata. Cammina in tondo parlando al cellulare, intanto sorride beata.

"Non ti è stato simpatico il caro Giorgio? Ha detto qualcosa di sgradevole? D'altronde gli riesce naturale. Ti ha chiesto il rimborso della telefonata?"

Kostanza scuote leggermente la testa mentre fa scorrere il mouse. Poi fa doppio clic.

"Mi ha detto, e sto citando: 'Sa che il premio si chiama come la mia ex moglie? Brivio. Pensi che scriveva anche lei. Roba da tre soldi per bibliotecarie zitelle ma scriveva, adesso meno male che è sparita'. Poi il signor Nembro ha fatto una risata sardonica. Quindi prima di salutare, in effetti anche cortesemente, ha inteso aggiungere 'sarà in Africa a... a praticare liberamente la sodomia'."

Kostanza mi guarda sconsolata.

"In quest'ultimo caso, signora Brivio, mi sono permessa di parafrasare."

Abbassa lo sguardo. Nell'istante in cui me l'ha detto deve aver intuito che era elementare rendersi conto che quella ex moglie scrittrice di nome Brivio ero io. Soprattutto, deve aver anche intuito che le ultime righe dei suoi appunti, in effetti, avrebbe potuto tenersele per lei.

"Mio marito è omosessuale," dico, come se questo spiegasse tutto.

In giardino Fanny parla ancora al telefono, ride, sgambetta come se camminasse a un metro da terra. Anzi no, come se piroettasse su di una nuvoletta nel mezzo del cielo. È in questo momento che fuori dalla porta a vetri dell'ufficio, quella che si affaccia su via Brisa, compare un'ombra rossa. La scadenza per la consegna dei libri al premio è passata da un pezzo, la porta rimane sempre chiusa. La Giraffa suona il citofono, poi preme la fronte contro il vetro per guardare meglio dentro, ma io mi sono già messa in un angolo morto dove non può vedermi. Dopo che la Gianna l'ha mandata a quel paese e lei mi ha rifilato la polpetta avvelenata del suo sms, ha provato altre volte a citofonare all'ingresso di via Saterna, anche di mattina presto, anche di notte, ma la consegna è ignorarla, non rispondere, fare come se la casa fosse deserta sperando che si scoraggi, che finalmente la smetta. Kostanza però è seduta dietro la scrivania, visibile benché resa poco riconoscibile dal vetro satinato.

"Fingiti morta," le dico.

Lei svizzeramente esegue alla lettera, resta immobile, trattiene persino il respiro, per fortuna prima che perda i sensi Lilly Ramella se ne va.

"Aveva una busta," ansima Kostanza, tornando a respirare. "Poteva trattarsi di un libro per il premio, signora Brivio? Però il limite per la consegna sfortunatamente è scaduto."

"Hai uno strano concetto di sfortuna, Kostanza," rispondo io.

16.

La libreria dell'acaro

Oggi dopo pranzo ho preso il caffè in giardino con le mie due amiche poi con loro mi sono distesa sulla sdraio per mezz'ora di sole integrale. Quando però hanno aperto i computer, assunto un'espressione assorta, cominciato a battere furiose sui tasti come se le pagine dei loro libri nuovi non aspettassero altro che di essere scritte, nemmeno ho provato a mettermici anch'io. La sola idea di scrivere oggi mi dà la nausea. Scrivere perché? Scrivere per chi? Forse a loro i cinquantamila all'anno che gli passo non bastano, forse è quello, forse scrivono per accrescere il proprio conto in banca dunque il proprio benessere, motivazione più che nobile, niente da dire, oppure se vogliamo stare al vecchio adagio secondo il quale si scrive sempre per qualcuno, con una persona ben precisa in mente cui si deve far leggere quel che ci passa per la testa, allora magari avranno in mente l'uomo della loro vita da compiacere, conquistare, oppure insultare, vai a sapere. Elena incontra qualcuno un paio di volte al mese, persone sempre diverse, preferibilmente a Milano così non deve viaggiare, ma da qualche parte magari è nascosto l'uomo della vita che non riesce a legare a sé. Fanny invece è come me o peggio, io almeno sono stata sposata, ho fatto le mie cose anche strane, lei invece che mi risulti mai niente tolto un fugace fidanzamento ai tempi dell'università. Anche solo pensando alla compagnia maschile tutt'e due avrebbero di che scrivere, no? Io invece ho voglia di comprare quadri, tappeti, mobili.

Ho voglia di viaggiare, di collezionare prime edizioni autografate di Wystan Auden, Virginia Woolf, Dino Buzzati, di cenare in ristoranti di lusso, di dormire in hotel più di lusso ancora, di prendere il sole nuda al centro di Milano, ma anche solo di sedermi al chiosco di piazza Mentana e rimirare il mondo che mi passa accanto. Così ho deciso di sfogarmi con una passeggiata, che alla mia età fa pure bene. Mi rivesto, controllo alla telecamera che non vi siano giraffe moleste a presidiare via Saterna, poi eccomi nel mio adorato quartiere a curiosare per i negozietti con le vetrine piene di gioielli, mobili d'antiquariato, profumi inglesi. Quando scendo verso piazza Vetra e mi ritrovo davanti alla Libreria del Morto in Casa, mi viene in mente che potrei chiedere qui.

"Cerco un romanzo di Marina Breno," dico, non appena le campanelle tibetane del portoncino d'ingresso hanno smesso di tintinnare. "S'intitola *Terno al lotto.*"

Conosco la libraia, anni fa sono venuta qui a una presentazione di Fruttero e Lucentini, anche a una di Lella Costa, poi da quando sto a Milano sono entrata un paio di volte a comprare roba di altissima qualità, una volta la Ernaux l'altra Julian Barnes, altrimenti guai, metti che chiedi una Stefania Bertola o una Sophie Kinsella, lei ti guarda con sommo disprezzo, o peggio ancora con infinita pietà. Conosco la libraia, ma stai sicuro che lei non conosce me.

"Marina Breno non l'abbiamo. Posso..." inforca un paio di occhialini rettangolari appesi al collo con una catenella, scorre qualcosa al computer. "Posso fargliela arrivare in... Tre settimane."

Magrissima, vestita di un ampio caftano, i capelli corti tinti con l'henné, da sopra gli occhiali mi lancia con fastidio uno sguardo interrogativo.

"Lasci perdere, è un po' troppo tempo, magari cerco qualcos'altro. Ma la conosce? *Terno al lotto* me l'hanno consigliato, me lo consiglierebbe anche lei? È un libro d'esordio, no?"

Questa conosce tutti, gli uffici stampa delle case editrici fanno la coda per far presentare i loro autori alla Libreria del Morto in Casa, libreria indipendente dal 1964, centro di Mi-

lano, sede in caseggiato storico, scaffali di antico legno tarlato da pavimento a soffitto, la gauche caviar meneghina compra solo qui, capite? Lei fa una smorfia, alza le spalle.
"L'ho sentita nominare," dice.
"Sì, ma è una brava o no?"
"Se non l'ho letta come faccio a dirglielo?"
"Pensavo che ne avesse sentito parlare. Che magari le fosse arrivato all'orecchio qualche parere informato, insomma lo sa, no? Il famoso passaparola."
"Pah," sbotta lei, proprio con la "p", alzando le spalle di nuovo. E se le scagliassi in fronte uno di questi deliziosi libretti Edizioni Henry Beyle di cui è ingombro il piano di fronte alla cassa? Ma sono così sottili e leggeri, non li sentirebbe neanche. E se invece comprassi la libreria? Ultimamente mi assalgono questi pensieri, quando per caso entro in un negozio dove non mi trattano in modo adeguato: il senso di onnipotenza derivato dalla mia straordinaria ricchezza mi suggerisce compro l'attività, licenzio tutti questi maleducati, chiudo, rivendo i muri a un investitore cinese. Però aspetta: e se davvero comprassi la libreria, buttassi fuori questa proterva bouquiniste gauche-caviarissima, ottenebrata da decenni di letture così colte e noiose da averle praticamente essicato il cervello, ma poi invece di chiuderla ci entrassi io e vendessi solo i libri che mi piacciono? Nuovi, usati, da collezione. La bibliografia completa di Arbasino, un intero scaffale con *L'anonimo lombardo, Fratelli d'Italia, Super Eliogabalo,* tutto in tutte le edizioni incluse le prime con Feltrinelli, saranno anche rare ma si possono trovare, basta cercare nelle librerie antiquarie o su eBay, io poi le rivenderei a prezzi popolari. Invece niente Pasolini, tò. Anzi meglio, uno scaffale dedicato a Pier Paolo Pasolini però completamente vuoto, impolverato, magari con in mezzo un bel cartoncino con scritto sopra "spiacenti, nisba Pasolini". Marcello Marchesi tutto anche lui, edizioni originali, ristampe, se dico tutto intendo tutto, Christopher Isherwood pure, mediterei la possibilità di mettere in scaffale anche le edizioni originali inglesi e americane, Stephen Spender lo stesso, Wystan Auden idem. Invece per

esempio uno come Michele Cachi, o una come Fausta Palumbo, o come Diletta Garavina, per loro vuoto assoluto, nulla, altri scaffali col cartoncino "spiacenti". Poi invece uno scaffale Tama Janowitz, uno scaffale Angela Carter, uno Wodehouse, uno Somerset Maugham, uno Uberto Paolo Quintavalle, uno Bianciardi, uno Mastronardi, l'idea mi piace così tanto che potrei andare avanti a divertirmi per ore anche solo facendo l'elenco degli scrittori con scaffale. Quegli stramarci del realismo magico invece non li terrei neanche con una pistola puntata alla tempia, ma per loro non farei neppure il giochetto dello scaffale vuoto, se un cliente mi chiedesse Cortázar, Marquez, Sepulveda lo caccerei a pedate. Idem se mi chiedesse Butor, Robbe-Grillet, Foster Wallace. O Bukowski. O peggio ancora i russi, cribbio mi hanno ucciso di noia i russi, mi hanno polverizzato le scatole, Giorgio me li leggeva, anzi me li declamava ad alta voce beandosene, Dostoevskij, Gogol', Tolstoj, a me invece mi hanno sempre fatto scendere la morte nel cuore e per carità, lo so che sono dei giganti della letteratura, sono solo ricca sfondata, non idiota, i russi sono dei grandissimi ma io li detesto, e più ancora detesto quelli come Giorgio che "ah io i classici, io i russi! Lì c'era già tutto. Lì era l'ottocento e già il romanzo moderno aveva dato il meglio. Leggo quelli e quando ho finito semmai li rileggo". Ma andate a quel paese e leggetevi invece qualcosa di contemporaneo, cretini, e nella mia libreria comunque 'sti stramaledetti catorci non li venderei mai, va bene?

"Serve altro?"

Guardo sconcertata la libraia, deve avermelo già chiesto, mi ero persa nelle mie fantasie. Lei ancora mi fissa da sopra gli occhiali da lettura, la testa inclinata, il tono seccato, che voglia mi prende di dar corpo ai miei sogni a occhi aperti, di comprare l'attività, espellerla, e poi per prima cosa bonificare i locali dagli acari che questa ha disseminato in anni di vita mal vissuta.

"Sara Brivio ha niente?"

"Non la tengo."

"Elena Beltrami?"

"Desolata."

"Fanny Moschino?"

"Poh!" dice la libraia, facendo una specie di risata.

"Poh che ce l'ha o poh che non ce l'ha?"

"Di là c'è mezzo scaffale pieno, abbiamo appena fatto una sua presentazione."

Eh già, la famosa presentazione mentre io ero a Vienna a caccia di Sacher. Guardo la libraia di traverso. Com'è possibile, non conosce l'esordiente Marina Breno e passi, non tiene i miei libri e va bene, non tiene quelli di Elena e va bene anche questo, ci siamo abituate, sopravviveremo, ma invece che intenzioni ha, vuol farci odiare la nostra amica? Perché per Fanny addirittura una presentazione?

"Eh, la Moschino," dico. "È un'autrice che piace anche a lei?"

Lei prima si stringe nelle spalle, poi allarga le braccia.

"Ce l'ha chiesto Daniele Castagnèr. Sa che in queste settimane è qui, a Milano? Ha una faccenda in casa editrice, un premio, non lo capisco perché parla un italiano sui generis. La Moschino l'ha voluta presentare lui. Com'è che lo chiamano? L'ha mai sentito il nomignolo? Il tigrotto. No, il giaguaro."

A me sfugge un gemito.

"Forse El Panteròn?"

La libraia si leva gli occhiali, sorride, poi mi guarda in un modo che non esiterei a definire sognante.

"Già, El Panteròn. Non è un fantastico tronco d'uomo?"

Il premio

17.
Cetrioli al Manin

Oggi è il quattro luglio, domani c'è il Brivio seconda edizione, c'è anche il premio Strega e nel frattempo è andato tutto nel migliore dei modi. El Panteròn ha aspettato metà giugno, poi, quando è stata votata la cinquina del celebre premio letterario romano nella quale come previsto è entrato, il giorno seguente ha annunciato che rinunciava, che si sfilava dai cinque perché in contemporanea era in finale al premio Brivio e lui preferiva partecipare a quello.

"Un premio giovine, fresco, valido, che merita la considerasione di noi scrittori anzianoti e va promoso," ha dichiarato in un'intervista al Tg2 in cui straripava dentro una camicia di seta rosa con ricamato sopra un uccello del paradiso azzurro, tra i biondi capelli spettinati all'insù un'enorme autentica piuma però non azzurra, chissà se portata come ornamento o lì per sbaglio. In ogni caso ha omesso ogni ragionamento sui cinquecentomila euro del Brivio e sull'assenza di assegni al premio Strega. Che vincerà *Criptorrea* di Michele Cachi, lo si dice oggi con ancor più sicurezza di quando io, Elena, Fanny, ormai più di un mese fa, abbiamo preso la decisione di metterci in concorrenza con la premiazione al Ninfeo. Grazie Daniele Castagnèr, per una volta evviva la tua avidità, la risonanza della tua mossa è stata enorme, non c'è uno dei giornalisti invitati che abbia rinunciato, anzi ci sono arrivate altre richieste che abbiamo soddisfatto con ricca ospitalità in zona, ci sarà persino una troupe Rai, manderanno in diretta lo Strega come da tradizione ma faranno anche dei rapidi collegamenti con Milano, quartiere Cinque Vie, per aggiornare i telespettatori sull'andamento della nostra votazione. Caro Panteròn, sei al Manin da quattro giorni nella suite panoramica con Jacuzzi sul terrazzo, hai una limousine a disposizione, Kostanza mi dice che non passa giorno che tu non ti faccia portare in via Brisa per ronzare intorno a casa e render visita al suo ufficio nel tentativo di intercettare notizie sulla giuria di lettori che tu credi, pollo, eleggerà il vincitore, dunque mi costi quasi mille euro al giorno ma sono soldi spesi benissimo: quando domani sera farai la figura che ti compete e perderai il premio all'ultimo voto la soddisfazione sarà impagabile.

Fanny ha insistito, accoratamente, perché cambiassimo lo schema, anzi povera cara ha proprio pianto, cercando di convincermi che sarebbe meglio impartire una sconfitta più umana, meno traumatica a El Panteròn e magari anche al mio ex marito, sebbene Giorgio lei l'abbia tirato in ballo chiaramente solo per far sembrare la richiesta ecumenica. Ma comunque no, neanche per sogno, figuriamoci se cambio qualcosa perché adesso Fanny va a letto con Daniele Castagnèr: Giorgio Nembro non prenderà nessun voto, zero, una batosta mai vista prima, il peggior risultato nella storia dei premi letterari con votazione finale della giuria dei lettori. Marina Breno e Daniele Castagnèr invece saliranno fino a quarantanove pari, poi la misteriosa autrice di *Terno al lotto* vincerà con gli ultimi due voti e sì, ho proprio scritto che la mia cara amica Fanny va a letto con El Panteròn. Sarà per lui che ogni mattina batte furiosamente sui tasti del computer, nuda sotto il sole, ma ora finalmente col ramato ciuffo di peli pubici sapientemente scorciato?

È una mattina soleggiata, sono le nove e mezza, ho lasciato la villa dall'ingresso di via Saterna con la solita precauzione di controllare la strada dalle telecamere anche se la Giraffa è da qualche giorno che non si fa più viva, che abbia finalmente accolto le mie mute istanze e stia riposando in pace, intendendo con questo nell'aldilà? C'è ancora fresco, cammino nell'aria limpida delle Cinque Vie, il mondo è bello. I furgoni consegnano, i baretti sono semivuoti dopo l'ondata delle otto, i negozietti di antiquariato, profumeria di lusso, stampe d'arte alzano le clèr, io indosso un cappello bianco a falda larga, una camicia di lino color pesca, pantaloni di lino bianchi, sandali da ottocento euro comodissimi, bianchi anche loro, e oggi non sento l'età che dovrei sentire. M'infilo nel portone numero tredici di via Santa Maria, dopo la volta con le due scale d'accesso alle abitazioni c'è un cortile in acciottolato, gerani in vaso, un pozzo restaurato chiuso da una grata, in fondo al cortile il laboratorio del catering che si occuperà della serata del Brivio.

In questa ultima settimana ho preso la Jaguar per dei giri in giornata sui laghi di Como, d'Orta, Maggiore, partivo prestissimo, cercavo su internet il ristorante più caro, pranzavo, girellavo, rileggevo con somma delizia *Vita standard di un venditore provvisorio di collant* seduta su qualche panchina, tornavo a Milano che già era notte. In questo modo evitavo il possibile tafanamento della Giraffa, o così ho sostenuto con Kostanza e Quintavalle.

"Signora Brivio, benché la conosca da vent'anni e la giudichi fondamentalmente inoffensiva," mi ha detto il mio commercialista quando gliene ho parlato, "l'insistenza della signorina Ramella sta diventando ossessiva. Se mi dà mandato procedo con una denuncia per stalking."

"Ma no," gli ho risposto, alzando le spalle, per carità, ci manca solo la denuncia. In realtà in questa settimana partivo all'alba e tornavo a notte fonda solo perché della parte organizzativa del premio non voglio saper nulla. Ho affidato tutto a Quintavalle, a Kostanza, alle addette stampa che Kostanza ha assunto per l'evento. Non solo io non devo farmi vedere, non solo nessuno deve sapere che il premio è finanziato da Sara Brivio, è che a me contare i posti, telefonare, mettere in agenda dà una profonda irritazione, me la dava quando lo dovevo fare per forza, mettiamo per uno degli odiosi corsi di scrittura a Vigevano o Mortara, me la dà ancora di più adesso dunque demando, o al massimo mi diverto con qualche capriccio come questo che mi porta nel laboratorio del catering.

L'altroieri sono riuscita a strappare Elena alla sua routine quotidiana di scrittura, nudità, lettura, l'ho portata con me. Fanny no, figurarsi, l'ho invitata eccome ma non sono riuscita a scioglierla dalle spire del Panteròn. Con Elena siamo andate sul Maggiore sponda lombarda, abbiamo pranzato in una piazzetta in riva al lago a Caldè, poi abbiamo fatto un salto a Laveno, infine, siccome non ci andava di infilarci nel traffico del rientro a Milano, siamo andate fino a Luino dove abbiamo preso due suite al Camin Hotel, quattro stelle, lusso, arredi belle époque genere Grand Hotel Wien anche se per fortuna molto meno beige. Sul tardi, nel pomeriggio, prima di rientrare in albergo per cena abbiamo fatto una passeggiata nel centro storico alla ricerca dei luoghi di Piero Chiara, dal caffè Clerici siamo salite verso l'alto, là dove ci immaginavamo la casa delle sorelle Tettamanzi frequentata da Emerenziano Paronzini. In una stradina incurvata con il fondo in porfido sconnesso abbiamo avvistato un negozietto che sembrava una casa di marzapane alla Hansel e Gretel. Era una pasticceria che faceva solo cupcake. Sono entrata, i cupcake non li avevo mai assaggiati prima, anzi nemmeno visti e lo so, è l'ennesima prova che sono una provinciale arricchita, comunque me ne sono innamorata all'istante ed ecco il mio capriccio.

"Sì?" dice il ragazzo quando entro nel laboratorio di via Santa Maria in uno sventolio di lino. Non "buongiorno, desidera?", solo "sì?" con la i strascicata.

"Buongiorno," rispondo io, facendo apposta una pausa per sottolineare. "Desidero aggiungere una richiesta al catering di domani sera."

Il ragazzo non dice nulla, sbuffa. Dopo aver sbuffato però succede come se gli scattasse qualcosa nei muscoli che modellano i lineamenti, un irrigidimento improvviso mentre strabuzza gli occhi.

"Ha una sincope?"

"Le chiamo il principale," gracida. Poi quando si gira per

andare sul retro lo vedo di profilo e lo riconosco anch'io. Questo giovanotto sgarbato è Lugano, il ragazzo di Ginevra, ma sì, dai, il maschio della coppia che si sbaciucchiava al chiosco di piazza Mentana quando la Giraffa mi ha riportato il César.

"Aspetta un attimo, tu..." dico, ma la porta che dà sul retro gli si è già chiusa dietro, le parole che mi stavano salendo in gola me le devo rimangiare. Poi passano un paio di minuti in cui di là dalla porta si sente e non si sente una conversazione, un uomo che impreca, non il ragazzo, un uomo che recrimina, sbuffa anche lui, poi la porta si apre con uno spintone ed eccolo, il principale. Ha cinquant'anni, le braccia tatuate, i capelli rasati, in testa porta un berrettino di carta, addosso un grembiule bianco, è infarinato fino ai gomiti, per un attimo squadra me e la mia mise come se non avesse mai visto prima una signora vestita da signora, poi mi porge una busta infarinata quanto lui.

"Il ragazzo mi ha detto di darle questa," dice, guardandomi di traverso. Dentro la busta ci sarà il mio quadernetto, immagino.

"Sono la padrona di casa del catering per l'evento di domani sera. La villa è la mia. Lei ha trattato con la mia segretaria, giusto?"

"Una signorina con l'accento tedesco."

"Lei. Però quella che paga sono io. L'accordo è per quattordicimila euro, giusto?"

"Sì, però la signorina tedesca..."

"Svizzera," gli dò sulla voce.

"La signorina svizzera, mi scusi. Ha detto che va bene. Abbiamo firmato un accordo."

"Infatti va bene, vi abbiamo anche già pagati, no? L'intera somma in anticipo, giusto ancora?"

Lui annuisce.

"Sono venuta perché domani voglio anche duecento cupcake."

"Ma signora..."

"I cupcake sono così *deliziosi* e *belli*," gli do di nuovo sulla voce, "che *pretendo* che ci siano al rinfresco. Fateli pure tutti uguali se vi viene più comodo, va bene il red velvet, però fateli. Mi dica lei il prezzo."

Estraggo il libretto degli assegni, al principale si riaccende lo sguardo.

"Dovrò far lavorare il ragazzo di notte," dice.

"Non chiedo di meglio."

"È tanto lavoro extra, mi devo anche procurare gli ingredienti entro oggi, ci sarà da correre."

"E lei corra."

Lui sorride, annuisce, conta sulla punta delle dita muovendo le labbra senza emettere suono. Poi mi guarda.

"Mille euro in più."

Per duecento cupcake fa cinque euro l'uno. A Luino, nel negozietto con gli arredi di marzapane, li ho pagati tre.

"Ci mettete anche la guarnizione con la foglia d'oro?"

Il principale mi guarda senza capire: è una richiesta, si starà chiedendo, o ironia?

"Ero ironica," dico, per toglierlo dall'imbarazzo. "Sono cari come il fuoco ma vada per mille euro in più."

Firmo l'assegno, poi prima di uscire alzo la busta infarinata.

"E mi ringrazi tanto il ragazzo, eh?"

Mi fermo nel cortile ad aprirla, dentro in effetti c'è il mio inutile quaderno, insieme a un foglio strappato con l'intestazione del catering.

"Spero che non se la sia presa per lo scherzetto al Chiosco Mentana," c'è scritto. "Non dica niente al mio principale però, altrimenti quello mi rovina."

Spero che non se la sia presa. Scherzetto. Nel biglietto non compare la parola "scusi", men che meno l'espressione "mi dispiace". Noto anzi un congiuntivo esortativo. Rimetto dentro la testa, il principale è ancora lì che sta stilando una lista su un block-notes.

"Ma se le dovessi comprare tutta l'attività a quanto me la metterebbe?"

Lui scoppia a ridere.

"Mezzo milione," spara, come se fosse una cifra incredibile.

"A domani," dico annuendo, poi me ne vado via.

A Luino, l'altroieri, dopo essermi innamorata dei cupcake, ho cenato con Elena nel giardino del Camin Hotel, il ristorante annesso all'albergo non ha stelle ma è sufficientemente caro e formale da tenere lontane le torme di tedeschi in pantaloni corti che affollano le pizzerie del lungolago a partire dalle cinque del pomeriggio. Ho scelto la bottiglia più costosa della lista, un vino bianco francese, non avevo la minima idea di cosa fosse, il sommelier mi ha detto scelta eccellente signora e ci mancherebbe altro, prezzo trecentottanta euro. Io ed Elena in ogni caso l'abbiamo trovato ottimo e tre quarti di bottiglia se ne sono andati come aperitivo. La mia cara amica non era stata di grande compagnia durante il giorno, rispondeva con la sua intonazione solita, quella capace di tranquillizzare gli animi esacerbati, tuttavia dietro la sua franca serenità avevo percepito un vuoto, un'assenza, come se una parte di lei fosse altrove, intenta a osservare accadimenti indecifrabili. Anche a tavola, per dire, beveva, replicava a tono alle mie battute sulla postura esageratamente inclinata del sommelier quando ci aveva mesciuto il vino francese, ma il suo sguardo era perso sul lago che al tramonto si colorava deliziosamente di viola. Per lunghi tratti taceva, per brevi momenti invece scuoteva impercettibilmente la testa.

"Corea di Huntington?" le ho chiesto in uno di quei momenti. Lei è scoppiata a ridere poi se n'è uscita con questo:

"Fanny mi ha scongiurato di non dirtelo".

L'ho guardata sgranando gli occhi.

"Di non dirmi cosa?"

Elena ha scosso la testa, questa volta meno impercettibilmente.

"El Panteròn è pazzo," ha detto.

"Ah, non c'è dubbio."

Lei ha fatto un gesto circolare con la mano come a dire sì, vabbè, ma lasciami dire.

"Non so se ridere o piangere."

"E d'accordo. Ma di cosa?"

"El Panteròn è al Manin dall'altroieri."

"Elena, non fare gli indovinelli, lo so che è lì, ce l'ho messo io. Fanny ti ha scongiurato di non dirmi *cosa*?"

"L'altroieri tu sei tornata tardi e non te ne sei accorta, ma Fanny ha dormito al Manin con El Panteròn."

"E hai capito la Fanny," ho detto allegra, versando a me ed Elena quel che restava del vino.

"Credo che non avesse più dormito con un uomo dopo il suo unico fidanzato storico ai tempi dell'università," ha detto la mia amica, sempre con quell'eco da osservatrice di indecifrabili cose. "La mattina dopo mi ha telefonato ed era totalmente *felice*."

"Povera cara."

"Già, cara la povera Fanny."

Ma sì. Potevamo anche detestare con tutte le nostre forze El Panteròn ma potevamo biasimare la nostra amica? Trent'anni senza compagnia maschile, una carriera letteraria in sordina, una vita faticosa tra difficoltà economiche quotidiane, poi improvvisamente uno scrittore famoso esprime il desiderio di accoppiarsi con te: davvero la potevamo biasimare perché aveva accettato le profferte di quel giallista totalmente cretino ma di successo, sia tra gli scaffali che tra il pubblico femminile? Certo che lui la corteggiava per un capriccio, forse perché l'aveva vista nuda o forse solo per carpirle informazioni sul premio. E allora?

"Ma quando il premio l'avremo assegnato e non l'avrà vinto lui?" ho detto a Elena toccando il suo bicchiere col mio, perché farà anche ragioniere in società ma io adoro fare cin cin. "Cosa combinerà allora, El Panteròn, alla nostra povera Fanny?"

"Io mi preoccupo per quello che le sta combinando adesso," ha risposto Elena. "Hai presente quando sei tornata dalla Libreria del Morto in Casa? Quando le hai detto 'so tutto!' e lei è svenuta?"

Mi scappa una risata e anche Elena ride.

"Ma che svenuta. Diceva che vedeva nero e le è un po' girata la testa."

"Un calo di pressione per lo shock emotivo," ha sentenziato la mia amica, scolando l'ultimo bicchiere del bianco francese. Il sommelier ci stava osservando, ritto sulla soglia delle grandi porte-finestre tra la sala e il giardino. Io ho capovolto la bottiglia, l'ho scossa per fargli vedere che non ne avevamo lasciato neanche una goccia, gli ho fatto segno di portarne un'altra uguale.

"Nemmeno le hai detto 'so tutto di te *e del Panteròn*'. È bastato 'so tutto'. Povera. Povera la nostra cara Fanny."

"Piangeva così tanto," ho detto, socchiudendo gli occhi, alzando il viso a ricevere la brezza fresca che, nell'aria ormai scura della sera, aveva preso a salire dal lago. "Così tanto che mi sono commossa anch'io."

"E io pure."

In effetti quella sera a Milano la scena era stata straziante, degna di un romanzo di Fausta Palumbo, Fanny singhiozzava, io e Elena avevamo gli occhi lucidi, la nostra amica si profondeva in scuse e scusandosi per la relazione appena avviata con El Panteròn singhiozzava ancora di più. Meno male che era arrivata la Gianna a riportarci con i piedi per terra, "E alura, sa gh'è, l'è mort al gat?" ci ha detto, non sapeva per cosa fossimo avvilite a quel modo ma aveva perfettamente ragione.

Perché in effetti Fanny cos'aveva da piangere, cosa c'era da chiedere scusa? Quell'uomo era un odioso caudatario da un Cùlec pieno, ma se lei c'era capitata a letto facesse pure, ne traesse tutto il divertimento e il vantaggio che c'era da trarne, anzi semmai ci facesse sopra un paio di risate con noi. Non era forse andata così quando Elena aveva ammesso d'aver ceduto alle blandizie di Daniele Castagnèr in quel lontano premio Scaffaletto? Io e Elena avevamo il magone perché la nostra povera amica si sentiva in dovere di scusarsi con noi.

"E tu poi le hai detto quella cosa per sdrammatizzare, giusto? Tipo 'confessa che El Panteròn ti ha chiesto i nomi dei giurati, che ha voluto l'elenco per andare a citofonargli a casa uno per uno'."

Io ho fatto il verso alla me stessa di quella sera a Milano.

"Confessa," ho strillato in falsetto, agitando un dito accusatore davanti al naso di Elena come avevo fatto con la povera Fanny.

"Ah no, Daniele non ha osato! E io non mi permetterei mai di rivelargli nulla del premio," ha detto Elena, anche lei in falsetto, questa volta facendo il verso alla nostra amica Fanny.

"*Daniele*," ho riso.

"Già, adesso lo chiama *Daniele*," ha riso anche Elena. Ma è tornata subito seria. "Ci era già cascata dentro a piè pari allora, oggi non parliamone proprio."

"Vi cambio il secchiello del ghiaccio," ci ha detto a quel punto il sommelier. Io e Elena siamo sobbalzate, eravamo talmente prese dalla nostra conversazione che non ci eravamo accorte che si era materializzato al tavolo con la nuova bottiglia.

"Ci cambi anche la tovaglia," gli ho detto, perentoria.

"Vede?" ho continuato, indicando un punto perfettamente immacolato. "C'è una macchia spaventosa."

Il sommelier ha guardato la tovaglia interdetto. Poi ha guardato me con la bocca semiaperta, senza riuscire a decidere cosa commentare.

"Ma scherzavo, giovane. Su che scherzavo," ho detto, rifilandogli per aggiunta una pacca sul braccio. Due bottiglie da trecentottanta euro, due menu degustazione completi, due suite in hotel, cento euro di mancia al concierge, altri cento pronti in borsetta da lasciare per il servizio a fine cena, il misterioso vino francese già in circolo, la brezza del lago, la sera tiepida, il panorama, la mia ricchezza infinita: potevo o non potevo permettermi di fare la scema?

"Ma Fanny cosa ti avrebbe scongiurato di non dirmi?"

L'ho chiesto a Elena ignorando imperialmente il sommelier che si dava da fare sulla nuova bottiglia.

"Ieri mattina mi ha chiamata," ha ripreso la mia amica, ignorando anche lei il sommelier, contagiata dalla mia sfrontatezza. "Mi ha detto dai, fai un salto qui al Manin, facciamo colazione insieme. E io: ma no Fanny, su, cosa vengo a fare, c'è El Panteròn, mi imbarazza."

"Cioè ti ha invitata al Manin? E a fare cosa?"

"Mi ha detto: 'C'è una vista su Milano che è uno spettacolo, Daniele in ogni caso è fuori'. Comunque, Sara, Fanny era così compiutamente *felice* che ci sono andata. Tu non c'eri, eri già uscita."

"Partenza all'alba per Orta San Giulio."

"Chi assaggia?" ha chiesto il sommelier.

"Va bene così. È buono di sicuro. Lasci qua e vada."

L'impassibilità del suo volto è stata tale che dentro di me ho deciso per ulteriori cinquanta euro di mancia. Non appena ci ha girato le spalle ho preso la bottiglia dal secchiello, ho versato un bicchiere alla mia amica.

"Mi sono detta facciamo quattro passi in centro," ha ripreso Elena, "prendiamoci un caffè col panorama, vorrà raccontarmi della notte di fuoco, diamole soddisfazione."

"E quando sono arrivata," ha continuato, "Fanny mi aspettava in accappatoio. Le ho chiesto 'e allora, El Panteròn?', lei mi ha risposto 'te l'ho detto, Daniele è fuori'. Bene era proprio fuori ma sul balcone, nella vasca Jacuzzi. Mi ci ha portato Fanny, lui era dentro 'sta cazzo di vasca completamente nudo, enorme, bianco, praticamente Moby Dick. Aveva il cetriolino tra le mani e, scusa lo schifo, in erezione. Fanny si è tolta l'accappatoio, è entrata in vasca pure lei e mi ha detto: 'vieni?'."

Io sono allibita, ma ho preso un lungo sorso rinfrancante del vino francese prima di commentare.

"E tu?"

"Le ho detto: indigeribili, Fanny, i cetriolini a colazione."

In quel momento esatto, mentre io ed Elena siamo scoppiate a ridere, i lampioncini del giardino si sono accesi. È stata una risata liberatoria, fragorosa, complice il vino con cui avevamo esagerato e la bellezza inusitata delle luci che parevano rimarcare la battuta della mia amica, è stata anche una risata che non finiva mai, che ha attirato gli sguardi prima di curiosità poi di riprovazione degli avventori degli altri tavoli, abbiamo smesso solo quando è arrivato il maître a chiederci con pregevole compostezza se tutto fosse a posto, se potesse aiutarci in qualche modo. Abbiamo ripreso fiato, e mentre l'euforia calava l'immagine del cetriolo al Manin ha smesso di essere comica, sostituita da quella del volto di Fanny che mi sono immaginata sgomento, attonito, rosso più per le vampe dell'imbarazzo che non per il calore dell'idromassaggio.

"Povera amica nostra," ho detto a Elena.

"Speriamo bene," ha detto lei.

18.
DP non è un marchio del lusso

Sono le otto di sera di giovedì cinque luglio, meno male
che il tempo ha tenuto. C'è stato qualche tuono verso le sei,
una finta di temporale che poi se n'è andato, i grandi nuvolo-
ni neri soffiati via verso il nord e i laghi, nemmeno una goccia
qui, nel cuore di Milano. Il giardino ha cominciato a riempir-
si dalle sette mentre il sole ritornato padrone del cielo scendeva dietro la cinta dei cipressi portoghesi, l'aria rinfrescata
dalla tempesta mancata, i giornalisti, le giornaliste, le addette
stampa, le ragazze e i giovanotti di servizio reclutati da Kostanza tutte e tutti ben vestiti, belli a vedersi, chi l'ha detto
che chi lavora nel mondo dei libri debba per forza essere goffo, brutto, quando mai, quelli semmai siamo noi, scrittori e
scrittrici. Il catering ha fatto un buon lavoro, ci sono anche i
cupcake, ne hanno fatto una bella varietà, quel cretinetti del
giovane Lugano deve averci davvero dedicato l'intera notte,
l'ho incrociato oggi pomeriggio alle cinque mentre entrava in
giardino col furgone della ditta. Aveva le occhiaie, mi ha
guardato con riprovazione, lui a me, non so se mi spiego, ora
come ora l'idea di comprare la ditta e licenziarlo in tronco mi
sembra più un atto di alta moralità che un capriccio da ricca
scema.

La cerimonia della premiazione vera e propria con la conta dei voti comincerà alle dieci, i tre finalisti sono invitati per
le otto e quindici, hanno un tavolo riservato qui vicino alla
villa dietro il paravento del caco e delle siepi di bosso, per

loro e gli accompagnatori è prevista una piccola cena durante la quale saranno sommersi di delicatessen e vini eccellenti, o così almeno garantiscono quelli del catering. La cena l'hanno preparata loro, voleva pensarci la Gianna, servire roba solida, "mia cui quàtar barlafùs" cioè il finger food, per evitare tensioni le ho dato la giornata libera, pensavo che andasse a Vigevano a trovare i parenti invece no, è di là in cucina, fedele, tignosa, che prepara un paio di arrosti in caso "a un quai vùn ag'vegna fam".

Una limousine è in arrivo con Giorgio, si è fatto prelevare presto da casa, alle sette, per non rischiare un ritardo o forse per non perdere neanche una tartina. Un'altra limousine è ferma davanti al Manin che aspetta El Panteròn con il motore acceso, lui ancora su in camera, evidentemente in difficoltà a scegliere come vestirsi per la serata, meglio una camicia con fenicottero rosa o con i beige e gli azzurri di una ghiandaia? Su Marina Breno invece le ultime notizie sono arrivate per email tre giorni fa, il suo editore ha confermato che l'avrebbe portata lui di persona, dopo non si è più fatto sentire, il telefono della Buon Corsiero suonava a vuoto, il cellulare di Marco Marena era staccato. Ora sono in casa al piano terreno, in sala da pranzo, seduta al tavolo con Kostanza che, fronte corrugata, cornetta pigiata contro l'orecchio, sta provando a chiamare l'editore.

"Ma suona o non suona?" chiedo.

Lei alza l'indice, trattiene il respiro. Poi sorride al colmo della felicità, almeno sulla ridottissima scala concessa nella Svizzera tedesca.

"Adesso finalmente suona. Uno squillo. Un altro. Vuole che azioni il viva voce?"

"Aziona senza indugio."

Conto altri cinque squilli, sto per cominciare a inveire contro l'editore quando finalmente risponde. La prima cosa che si sente è del free jazz indemoniato.

"Pronto, ma chi è?" urla una voce maschile con l'accento marcato.

"L'è vün dal tac?" chiede la Gianna dalla cucina, in un'espressione idiomatica vigevanese dove per "del tacco" s'intende meridionale.

"Gianna, per favore! Shht!" le dico sottovoce.

"Cosa dice? Non si sente!" urla invece il nostro interlocutore, senza abbassare la musica.

"Sto cercando il signor Marena," spiega l'imperturbabile Kostanza.

"Sta cercando chi?" dice ancora quello, e no, non ha abbassato.

"Il signor Ma-re-na," sillaba Kostanza, alzando appena la voce, il pezzo jazz che si trasforma in un assolo di sassofono privo di senso.

"Ah sì, il signor Marena. Brava. Sono io. Chi è che rompe?" Poi cade la linea.

"Al da ves propi vün dal tac," chiosa la Gianna dal suo regno. Kostanza mi guarda con la cornetta ancora in mano, esterrefatta.

"Di dov'è la Buon Corsiero?" chiedo.

"Di Savona," dice la mia segretaria, che solo ora rimette la cornetta al suo posto.

"Sarà ancora in autostrada, ci sono le gallerie. Riprova tra un attimo."

"Autostrada? Signora Brivio, sono le otto."

Kostanza ha un'incrinatura d'incredulità nella voce e in effetti è vero, sono già le otto, ma da Genova a qui se non c'è traffico basta poco più di un'ora.

"Venti secondi e richiamalo," dico alzando le spalle, poi faccio due passi per il corridoio fino al primo affaccio sul giardino che è pieno, ci sono già tutti, le bottiglie di Cristal cominciano ad accumulare vuoti, la troupe Rai è là in fondo, la telecamera fissa è già sistemata non lontano dal palco, ora stanno facendo una panoramica sulla villa che si staglia contro l'azzurro che diventa blu nel cielo della sera. Mi ritraggo, prima che m'inquadrino come un'apparizione spettrale dietro la porta-finestra.

"Richiamo adesso, signora Brivio?"

"Richiama senza tema, Kostanza."

Questa volta rispondono al primo squillo, il jazz ancora a un volume infernale.

"E abbassa no?" dice una voce femminile che si sente appena sopra la musica, poi il fracasso finalmente cessa.

"Quindi che cavolo volete?" chiede la voce maschile di prima.

"Sono Kostanza della segreteria del Brivio," dice la mia segretaria, il tono ritornato neutro.

"Ah, il premio. Scusi, era uno 02. Pensavo il solito call center."

"Confermo che si tratta del premio. Desideravamo sapere se ci raggiungerete per la cena dei finalisti. Daniele Castagnèr e Giorgio Nembro saranno qui a minuti."

Si sente una risatina.

"Naah, arriviamo per le nove e mezza, massimo le dieci. Stando al navigatore saremo lì alle 21 e 40."

Naah? Ha detto veramente naah? Rabbrividisco e sospiro.

"Chiedi se l'autrice è con lui" dico a Kostanza, sottovoce.

"La signorina Breno è con lei? Conferma?"

Si sente un'altra risatina, in effetti la domanda così posta richiamerebbe una nota trasmissione televisiva.

"Confermo," dice Marco Marena. Poi c'è uno stropiccìo come se il telefono cambiasse di mano, poi una voce femminile squillante che ride.

"Confermo, confermo, confermo," dice. "E adesso ciao."

La linea cade di nuovo o forse Marina Breno, immagino che fosse lei, ha riappeso.

"E custa chi l'era?" dice la Gianna dalla cucina. Chissà se anche lei come me ha avuto la sensazione che la voce le fosse familiare. Che la Breno sia una scrittrice arcinota? Una Palumbo, una Garavini, una Virginia La Pera che ha usato un'identità falsa per scrivere qualcosa di completamente diverso dal suo solito genere mortuario? Perplessa guardo Kostanza, lei mi guarda allo stesso modo, poi scuote la testa dicendo per la prima volta da quando l'ho assunta una cosa che non suoni rigidamente formale.

"Ma a questa qui non le frega un kaiser di poter vincere un premio così?"
Kaiser, detto da lei, mi fa esplodere in una risata.

Una magnum di Cristal me la sono portata anche qui, su al primo piano, in biblioteca, dove dietro la finestra panoramica insieme a Elena e Fanny ammiro lievemente brilla il viavai in giardino, rimproverandomi, però subito assolvendomi. A Marina Breno probabilmente del premio importa poco per davvero. Sarà convinta come mezzo mondo che il premio medesimo andrà a El Panteròn, insomma dai, figuriamoci, si sarà detta, quello è una star che ha rinunciato alla cinquina dello Strega per venire qui, ovvio che debba vincere lui, no? Immaginare spartizioni e complotti è lo stucchevole atteggiamento del principiante, lo stereotipo che hanno stampato nel cervello quelli che entrano freschi ma da subito indignati nel mondo della scrittura, mondo che vedono come una pelagica tempesta dove il misero guscio del loro romanzo d'esordio sarà ingoiato dai leviatani della grande editoria. Poi è vero che al Brivio seconda edizione è già tutto deciso, ma lo è in barba a qualsiasi giuria o grande casa editrice perché vincerai tu, cara Marina Breno, cioè una totale outsider, e questo nonostante l'improntitudine del tuo editore.

Mi rimprovero di non aver letto fino alla fine il libro che questa sera premieremo, mi assolvo perché anche se mi sono fermata a metà – trafitta dalle dolorose pagine della high school di Newport e dai sensi di colpa infondati della povera Selene – l'autrice di questo romanzo riceverà comunque un assegno di cinquecentomila euro.

"Ragazze, come finisce il romanzo che vince stasera?" chiedo invero più che leggermente brilla, senza guardare le mie due amiche, guardando invece fuori, giù, dove, a parte Gualtiero Quintavalle con un compassatissimo gessato grigio doppiopetto già seduto discretamente in ultima fila, ci sono solo Annalisa Righetti di "Repubblica" in fucsia, Luisanna Marazzi della "Stampa" in verde, Alessandro Marzorati del "Giornale" in blu scuro, poi tutti gli altri e le altre invece con addosso lino bianco o al massimo écru nonostante sia praticamente notte.

"Ma *Sara*! Come sarebbe a dire *come finisce?*" sbotta Fanny. "Non l'hai letto?"

"Metà. Poi non ho avuto tempo," invento, stringendomi nelle spalle. "I viaggi, organizzare la serata, troppe cose. Ma l'avete letto voi, mi fido."

Le studio di sottecchi mentre finisco il mio bicchiere di champagne. Elena sogghigna, Fanny invece mulina le braccia.

"E dai, Sara!" dice, piegandosi su quel "dai" come si piega quando al telefono assume il suo tono più accorato. "Cosa la premiamo a fare la Breno se non l'hai neanche letta? Cosa ci mettiamo a fare questa sceneggiata dei voti pari fino all'ultimo con il povero Daniele, se tu questo libro non lo consideri neanche degno di una lettura?"

Io inarco solo le sopracciglia, mi verso dell'altro Cristal, devo dire veramente ottimo il Cristal, con qualche soldo in tasca si apprezzano le differenze rispetto, tò, al Veuve Cliquot o al Moët & Chandon.

"Finisce che la ragazzina uccide sua madre," taglia corto Elena. Viene da me tendendo il flûte vuoto.

"Ce n'è?" chiede.

"È un magnum" dico. "Ce n'è da stramazzare. La ragazzina uccide sua madre? La ragazzina nel senso di Selene? Quella che i genitori hanno spedito al college a Newport?"

"Lei," dice Elena, alzando in un muto brindisi il bicchiere che le ho appena riempito.

"Essì, proprio lei," ribadisce Fanny prossima chissà perché alle lacrime, ma che diamine, beva un altro bicchiere, si tiri su, cos'è tutta questa disperazione?

"Ma sì," mi spiega Elena, "c'è quella scena esilarante di quando torna a casa senza aver avvisato i genitori e trova sua madre in mezzo a un'orgia interrazziale e in un istante capisce che altro che sensi di colpa, è stata lei a spedirla alla high school per levarsela dai piedi e fare i suoi comodi da moderna Justine."

Tossisco, lo champagne mi va su per il naso, quasi mi soffoco.

"Sara, oh?" Elena accorre. "Che hai?"

Mi da delle pacche vigorose in mezzo alla schiena mentre tossisco ancora di più, lo champagne brucia nel naso e in gola.

"Un'orgia? *Interraziale?*" chiedo quando finalmente smetto di tossire, annichilita, gli occhi spalancati sulla mia amica.

"E perché uccide la madre?"

"Be', qui ci sarebbe tutto l'epilogo, il lungo capitolo finale che è un flashback della chiacchierata con il padre sulla panchina con vista sul ponte di Brooklyn, quando lui le spiega tutto di sua madre. Ha un tono alla Janowitz che ti mette la pelle d'oca. Sai il registro comico-disperato, no? Ma davvero non l'hai letto?"

"Io non ho avuto..." riesco a dire, pensando di fermarla per farmi spiegare, perché a questo punto chi se ne frega del tono alla Janowitz, mi dica per filo e per segno che cosa ha detto il padre alla povera Selene! Ma al carraio di via Brisa è arrivata la limousine che trasporta mio marito, i valletti del servizio hanno già aperto le portiere, Giorgio è già sceso, e dopo di lui non sono scesi i tanto insignificanti quanto alteri amici vigevanesi di sempre, il poeta dialettale Aldo Gho, il bibliotecario in pensione Rodolfo Scarabelli, l'insegnante di italiano nonché storico dilettante Sergio Carminati Barbè, bensì tre uomini dalla pelle nera. Uno è il suo compagno degli ultimi tempi, lo riconosco bene, l'ho visto decine di volte nelle mie notti da stalker a Vigevano, gli altri due invece sono Bouvard e Pécuchet.

È a loro che devo il fattaccio che ha mandato all'aria la mia vita, ai due mediocri studenti camerunesi dell'università di Pavia anzi suppongo ormai ex tali, nel frattempo avranno ben preso una laurea con il minimo sindacale, quant'è, sessantasei? Bouvard è ingrassato, anche da quassù posso vedere una notevole pancetta, non ha più le treccine tinte di biondo, indossa un vestito gessato grigio, chissà, forse farà davvero l'avvocato, quello studiava. Pécuchet che invece è rasato a zero come allora, nero come il carbone come allora, porta dei pantaloni blu attillati, una camicia bianca attillata pure lei e sfoggia, novità, dei muscoli spropositati all'epoca assenti, il cui sviluppo prevalentemente orizzontale unito all'altezza da studente delle scuole medie inferiori gli conferisce l'aspetto di un comodino.

Il venticinque aprile duemilaotto costoro mi avevano fatto una sorpresa presentandosi non invitati, non annunciati, a casa nostra a Vigevano. Quel venticinque aprile era un venerdì, Giorgio accompagnava la sua seconda liceo in gita scolastica a Catania e Siracusa per la stagione del teatro greco, sarebbero stati via quasi una settimana, il rientro era in programma a Linate per la notte del ventisei. Monica in quel weekend lungo era all'Alvise Contarini, aveva preso atto apparentemente con indifferenza che dato l'impegno di suo padre non saremmo andati a trovarla. D'altronde era al secondo anno, quinta ginnasio, la quarta era andata relativamente bene, voti in pagella non stratosferici ma tutti sette o sei pieni, in quinta stava migliorando, arrivavano gli otto, aveva trovato il metodo di studio adatto, e poi aveva consolidato il giro delle amiche, non si lamentava più per la nostalgia di casa, insomma il venticinque aprile e weekend a seguire sarebbe stata a Venezia, avrebbe studiato, avrebbe visto le compagne che abitavano in città, tutto molto da brava ragazza matura. Dunque io ero da sola a Vigevano.

Era pomeriggio, c'era un temporale in anticipo di stagione, lo ricordo bene perché sedevo al tavolo della cucina, correggevo le bozze del romanzo che avrei pubblicato in settembre mentre sbirciavo, contrariata, i vetri appena lavati della finestra rigarsi di pioggia. Era arrivato uno squillo di Monica sul cellulare per farsi richiamare, ricordo anche che mi ero detta che rompiscatole, su questa cosa del risparmio somiglia a suo padre, che aspetti, prima finisco il capitolo poi la chiamo. A quel punto il citofono aveva suonato. Io avevo alzato gli occhi sull'orologio a parete, le quattro, ricordo bene anche questo, mi ero chiesta chi potesse mai essere a quell'ora.

Erano Bouvard e Pécuchet, no? Era il venticinque aprile dunque non avevano lezione.

"Piove," aveva detto Pécuchet con la sua voce cavernosa, togliendosi la polo fradicia non appena entrato in casa, porgendomela senza esitazioni come se fosse naturale che dovessi occuparmene, asciugarla, forse pure stirargliela.

"Piove forte," aveva inteso ribadire Bouvard, togliendosi la sua t-shirt, porgendomela, lui però con un sorriso che chiunque avrebbe definito malizioso.

"Come mai da queste parti?" avevo chiesto, loro che sgocciolavano a torso nudo al centro del mio soggiorno, io con le magliette fradicie in mano.

"Un giro a Vigevano," aveva detto Bouvard, stringendosi nelle spalle. "Poi è venuto il temporale."

"Giorgio non scè," aveva detto invece Pécuchet, ma la sua non era una domanda, nemmeno una constatazione, era una spiegazione.

"Vi prendo degli asciugamani," avevo sospirato io, marciando verso il bagno, la testa che non sapevo dov'era, il cervello in panne. Cosa volevano? Cosa avrei dovuto fare? Cacciarli sostenendo che avevo del lavoro urgente da terminare? Oppure prima offrir loro un tè caldo e cacciarli dopo? Sì, un tè caldo, dai, fai la brava persona ben educata, mi ero detta, prendendo due grossi teli di spugna nell'armadietto. Avevo sistemato le due magliette sullo stendibiancheria sopra la vasca, poi, quand'ero tornata in soggiorno, avevo trovato i due camerunesi in mutande, i pantaloni e le calze in mano tesi verso di me, sulle labbra il sorriso di un ragazzino che l'aveva fatta grossa.

"Ma che sciocchi!" ero scoppiata a ridere. "Copritevi, che vi prendete un accidente."

Gli avevo passato i teli, avevo preso le loro cose, ero tornata in bagno per stendere anche quelle, ma le mie pulsazioni erano fuori controllo, maledetti idioti, cosa gli era venuto in mente? Certo che mi facevano effetto, avevo dieci anni meno di adesso, l'impulso irresistibile scattava ancora eccome, anzi a vederli seminudi era proprio scattato in pieno.

Mi ero seduta sul bordo della vasca col respiro corto. Erano passati due anni dalla volta in cui Giorgio me li aveva praticamente imposti in casa per il nostro primo quadrangolare, Monica era andata al Contarini a Venezia, noi avevamo potuto incontrare i due ragazzi almeno un'altra dozzina di volte perché i nostri weekend liberi, a Vigevano, erano diventati tanti. Tra me e loro c'era confidenza, familiarità, e come sarebbe stato possibile che non ci fosse con due persone con cui avevo passato ore di sofisticate manovre intime con l'avallo, la partecipazione e l'attiva collaborazione di mio marito? Mio marito Giorgio che però in quel momento non c'era, quello era il discrimine. Se Bouvard e Pécuchet avessero preteso qualcosa più di un asciugamano e una tazza di tè, mi ero detta alzandomi, spalancando decisa la porta del bagno, in assenza di mio marito che nonostante tutto ancora amavo, alla cui felicità ancora tenevo, io mi sarei rifiutata. Quand'ero ritornata in soggiorno i due stramaledetti cretini erano nudi sul divano, con il coso, lì, tra le mani, rigido come un mattarello.

"Dai, vieni qua," aveva detto Bouvard, invitandomi con un cenno del capo che aveva fatto ondeggiare le treccine bionde, cosa che su di me aveva un effetto chissà perché persino superiore a quello del coso.

"Eh no, insomma," avevo protestato, sedendomi sulla poltrona più lontana, lo sguardo ostentatamente puntato altrove. "Copritevi. Non c'è Giorgio, non va bene."

Era o non era un gioco tra me e lui? Erano o non erano, quei due e gli altri neri che avevamo incontrato, niente più che meri strumenti nel nostro personale passatempo erotico, quello vero, operato a un livello superiore che coinvolgeva soltanto Giorgio e me? Pécuchet aveva sbuffato.

"Lo abbiamo fatto anche da soli con ton mari, no?" aveva detto, con la voce cavernosa diventata improvvisamente abrasiva. Io avevo strabuzzato gli occhi.

"Ma quando? Ma dove? Ma come?" avevo farfugliato, ogni domanda preceduta da quella congiunzione avversativa con cui cercavo di arginare un'ondata di panico.

"Da noi in collegio," aveva detto Bouvard, sinceramente sorpreso. "Due giovedì mattina dopo lezione. Non ti ricordi? Quando Giorgio si è messo d'accordo di venire con te ma tu poi non hai potuto."

Bastardo. Debosciato. Zozzone. Disgustoso tappo con le fattezze di un Delon rattrappito. Questo avevo pensato di mio marito in quell'istante, realizzando che il suo giorno libero non andava affatto a scuola a preparare le lezioni e i compiti in classe per la settimana a venire, come mi aveva sempre raccontato, ma da Bouvard e Pécuchet, e da chissà quali e quanti altri ragazzi neri, gratis o a pagamento, che aveva incontrato in quelle mattine in cui, da anni, spariva dalla circolazione. Urègia eccome, mi ero anche ritrovata a pensare, mentre, chissà perché, mio padre, la sua risata sarcastica, la sua retrograda provinciale disapprovazione per gli omosessuali mi erano tornati in mente accrescendo rabbia e disgusto. Bouvard e Pécuchet non si erano accorti di quanto mi stava passando per la testa, loro erano lì e volevano divertirsi con me, una volta tanto senza quel rompiscatole di Giorgio tra i piedi, questa la semplice verità. Si erano alzati, erano venuti alla mia poltrona dove giacevo paralizzata, avevano provato a risvegliarmi con una curiosa tecnica a base di, va detto delicatissimi, colpi di mattarello. In preda a un raptus in cui contava solo la vendetta, andasse a quel paese l'amore e il bene per quel traditore di mio marito, avevo ceduto all'impulso irresistibile, spostandomi con loro sul divano.

Avete presente cosa si intende per DP? No, non è un marchio del lusso genere Dolce & Gabbana, significa doppia penetrazione anzi double penetration, il gergo della pornografia fa sempre riferimento all'inglese, è una curiosità linguistica su cui spesso discettava Giorgio con la sua consueta prosopopea. Vi lascio immaginare di che si tratta, comunque la stavamo mettendo in atto con il lungo Bouvard seduto sul divano, io a carponi sopra di lui, e il brevilineo, minuscolo Pécuchet a sua volta sopra di me che fluttuava come un colibrì. Nell'appartamento di via dei Mulini il divano era posizionato in modo tale che il mio sedere puntava esattamente nella direzione della porta d'ingresso. Il cellulare era rimasto in cucina. C'era stato a dire il vero un altro squillino, ma durante una DP voi ci fareste caso? Poi aveva proprio anche suonato, ma io nel bel mezzo della suddetta interminabile DP stavo strepitando al colmo del terzo orgasmo di fila, e chi mai si sarebbe interrotto per andare a rispondere? Così, mentre la DP continuava aumentando anzi d'intensità, mentre io farneticavo avvicinandomi all'orgasmo numero quattro, mentre Bouvard e Pécuchet ululavano vicinissimi al proprio, la porta d'ingresso si era spalancata e Monica era entrata per il suo terribilmente ben congegnato ritorno a sorpresa. Era trascorso un istante di improvviso, insensato silenzio, poi mia figlia si era messa a urlare. Anzi aveva emesso un unico, interminabile, acuto *urlo d'orrore* mentre mi tirava addosso quel che si ritrovava per le mani, lo zaino, le chiavi, la mia collana di perle poggiata sul tavolino d'ingresso, giornali, un bicchiere, dei libri, delle penne a sfera e io, madre oscena, madre mostruosa, madre raccapricciante, le mostravo lo spettacolo irricevibile di un gruppo del Laocoonte in bianco e nero che il più velocemente possibile ma sempre troppo, troppo lentamente, si districava.

Non so dove fosse scappata quel pomeriggio a Vigevano, forse in un albergo? Sarà stato Giorgio che le ha consigliato cosa fare? Avevo provato a chiamarla al telefono subito, è chiaro, ma prima era occupato, poi non rispondeva. Non mi ha risposto mai più. Avevo provato anche a chiamare Giorgio. Anche lui aveva dato occupato per mezz'ora, era evidente che si stavano parlando, poi aveva risposto, era di ghiaccio, tra le prime dieci parole che mi aveva detto già compariva "separazione". Aveva lasciato gli studenti a Siracusa sotto la responsabilità di un collega, era tornato con l'aereo quella sera stessa, non c'era stato nemmeno da discutere, non mi ci ero messa, non m'importava cosa avesse fatto lui le altre volte con quei suoi africani cretini, non m'importava il fatto che tecnicamente avesse commesso riguardo al nostro contratto morale la mia medesima infrazione. M'importava quello che avevo fatto io. M'importava la vergogna che provavo.

"Tu te ne devi andare. Tu devi sparire dalla mia vita e da quella di tua figlia," mi aveva ringhiato Giorgio quando era arrivato, al colmo della riprovazione. Non chiedevo di meglio. Guardare in faccia mio marito mi provocava indifferenza, l'idea di guardare di nuovo in faccia mia figlia in quel momento mi era invece intollerabile. Volevo sparire, sprofondare, annullarmi in un *cupio dissolvi*. All'una di notte ero uscita di casa con una borsa di ricambi, niente di più, non sapevo dove andare, non sapevo cosa fare. Poi mi era venuto in mente che avrei potuto telefonare a Elena e Fanny, in quegli anni dividevano una casetta dalle parti di Abbiategrasso, erano venute in auto, subito, avevo dormito da loro poi da loro ero rimasta settimane finché non avevo trovato l'appartamentino lugubre ma economico nel condominio degli egiziani. Le mie care amiche avevano chiesto spiegazioni, come avrebbero potuto non farlo, ma quando avevo detto loro che non me la sentivo di parlarne non avevano insistito, lasciando che rimanesse un mio segreto, per sempre. E tutto questo, ne converrete, nella situazione economica in cui adesso mi ritrovo val bene quel poco che faccio per loro.

"E un bel mesetto insieme al mare, dopo il premio?" dico ora, per dire una cosa che mi faccia sentire serena, o anche solo normale.

Elena alza il flûte ancora mezzo pieno di champagne in un secondo muto brindisi, poi china il capo gravemente in un cenno di papale approvazione. Fanny che ha le braccia conserte, che ha il broncio, si gira invece verso di me quel che basta per sbirciarmi. Ma lo vedo adesso, lo vedo che le sfugge un sorriso.

19.
La lettera rubata

Alle nove e mezza il mio ex marito Giorgio Nembro, prossimo alla fine della cena, preso anche il caffè, ingoiati uno in fila all'altro i bignè, i biscottini, le gelatine che il catering ha servito in qualità di piccola pasticceria, sorseggia il secondo bicchiere di armagnac stravecchio mentre chiacchiera con El Panteròn. Ancora stordita per il souvenir della peggior catastrofe del mio passato che Giorgio ha portato con sé, li seguo passivamente dall'alto della biblioteca, un po' guardando giù dalla finestra ché il loro tavolo è proprio qui sotto, separato dal resto del giardino dal caco e dalle siepi di bosso, un po' invece ascoltando le loro conversazioni con il sistema audio mentre una telecamera ad alta risoluzione inquadra il tavolo. Di telecamere questa volta ce n'è proprio ovunque, più del doppio della prima edizione, con il mouse, mi hanno spiegato quelli del service, dalla barra inferiore posso selezionare in ogni istante l'icona piccola delle riprese di quella che più mi interessa, mandarla a tutto schermo, alzare il volume a piacere. Ma tu senti le cretinate di mio marito.

"Questi sono i miei cari Donatien e Thibaut," sta dicendo, la voce impastata dall'armagnac, circondando con le braccia le spalle di Bouvard e Pécuchet, seduti al tavolo alle sue ali. "Ho un progetto che li riguarda, sai Daniele?"

"Che progetto, Giorgino bello?" dice El Panteròn, guardando il proprio telefono, non il mio ex marito.

"Te l'ho raccontata la trama del mio libro che è in finale questa sera?"

"Come no, racontatisima," annuisce l'autore di *La porcona e il camposanto*, facendo ondeggiare il biondo casco di capelli oggi stranamente soffice, che si sia concesso uno shampoo per l'occasione? Indossa uno smoking nero con le maniche troppo lunghe di mezza spanna e per forza, per entrarci avrà dovuto prendere due taglie sopra l'extralarge. Sotto la giacca porta comunque una clamorosa camicia di seta verde tempestata di allodole fucsia e i piedi, nei soliti vecchi sandali, sono pietosamente coperti da dei gambaletti color smeraldo, in pendant. Giorgio, durante l'intera ora in cui sono stati seduti insieme a tavola, gli ha propinato ogni dettaglio dell'asfissiante *Bernard Kaboré*.

"Oh, che stasera vinca il migliore, neh?" schiamazza il mio ex marito. "Ma vada come vada voglio usare il premio per il mio progetto: cerco un editore e gli propongo il seguito del *Kaboré*. Con protagonisti questi due ragazzi qui. Le loro belle storie. Sono laureati, lavorano, sono storie d'immigrazione vincente, esemplare, quanto guadagnate al mese adesso, ragazzi, lo vogliamo dire al maestro Castagnèr?"

Gli sta dando del maestro dall'inizio della serata, deferente come un lacché, anche Giorgio questa sera si aggira su valori di almeno 0.8 o 0.9 Cùlec, sono pronta a scommettere che il famoso progetto lo vuole proporre proprio a El Panteròn, anzi scommettiamo pure che il manoscritto è già pronto e nascosto in quella specie di orrendo borsello a tracolla da cui non si è ancora separato? D'altronde l'autore di *Sette cadaveri attorno a una mazza di tamburo* attualmente sforna solo bestseller, se ci mettesse una parola con la sua casa editrice potrebbero anche pubblicarglielo davvero.

"Niente di spesciale," dice Thibaut-Pécuchet, la voce cavernosa identica a dieci anni fa, l'ibridazione dell'italiano col francese pure. "Prendo uno stipendio normale. No anzi, meno che normale, les bâtards mi pagano troppo poco. Faccio l'insgegnere in una ditta di costruzioni edili, vado tutti i giorni in cantiere per milletrescento euro al mese."

"Ah bravo, proprio un bello stipendio, bravisimo," annuisce El Panteròn senza aver ascoltato l'africano. Sta digitando qualcosa sul cellulare. Giorgio ride sguaiatamente senza motivo, ha bevuto troppo, stringe di nuovo a sé Bouvard e Pécuchet che invece sono sobri, hanno voluto solo un bicchiere di champagne di cui la metà è ancora lì sul tavolo a sgasarsi, d'altronde ricordo bene le loro mortali tirate contro l'alcol che farebbe male alle vene – sic – cosa che di conseguenza porterebbe prima al degrado morale poi alla rovina tout court, era uno dei loro leitmotiv quando si fermavano da noi a cena dopo i quadrangolari con Giorgio, non esitando a spiegarmi con pedanteria questa e altre regole fondamentali dell'universo.

"Sono storie bellissime," insiste mio marito. "Storie di amicizia, di integrazione."

Il suo fidanzato seduto a capotavola scoppia a ridere, questa sera ho appreso che si chiama Maurice, contrariamente alle mie supposizioni è del Camerun pure lui tant'è che adesso fa una battuta in patois che fa scoppiare in una risata anche Bouvard e Pécuchet, avrà detto che il loro stipendio è buono perché glielo arrotonda Giorgio? Che erano più integrati prima quando i quadrangolari li facevano con marito e moglie italiani, non con il solo marito e il fidanzato che adesso è africano anche lui? A Fanny intanto arriva un messaggino.

El Panteròn in settimana aveva chiesto alla nostra amica di fargli compagnia per la serata, Fanny non aveva saputo cosa raccontargli, gli aveva detto che *non sapeva* se avrebbe potuto esserci, che *probabilmente* non ci sarebbe riuscita. Quando un'ora fa Castagnèr è entrato in scena, quando appena sceso dalla limousine ha attraversato compiaciuto il giardino in mezzo alla folla di addetti ai lavori che lo salutava con la confidenza degli amici di sempre, quando si è guardato intorno, quando è pure salito su una sedia per guardare meglio ma la mia amica non l'ha proprio trovata, ha estratto il telefono e digitato con malagrazia un messaggio sullo schermo.

"Dove casso sei?"

Quando Fanny lo ha ricevuto si è messa a tremare, poi con gli occhi lucidi ci ha guardate come se chiedesse soccorso e alla fine ci ha raccontato tutto. Per esempio che al Manin dove lei ha sempre dormito da quando lui si è insediato a Milano per il premio, altro che "Daniele non si permetterebbe mai", come aveva sostenuto: El Panteròn l'assillava con le domande sul Brivio, sulla giuria, anzi soprattutto su quale aiuto lei, Fanny, avrebbe potuto dargli, stante l'evidente coinvolgimento nell'organizzazione, per entrare in contatto con la giuria medesima.

"Ma non mi dire," ho sospirato, la testa altrove, persa a fantasticare sulle coincidenze tra la trama del libro della Breno e la mia vita che proprio lì, in quel momento, mi riproponeva i protagonisti della mia più drammatica orgia interraziale. La nostra povera amica, però, ci ha raccontato anche, non ha detto nulla di nulla. Si è appellata al regolamento che impone l'obbligo di completa riservatezza che, ha inventato, se violato comporterebbe il suo allontanamento dall'organizzazione e dunque la perdita, ha inventato ancora, del ricco quanto prezioso compenso che dal premio Brivio percepisce.

"Brava," ho sospirato ancora, "eccellente idea."

Anche se dentro di me ho pensato: non credere che un tale siluro io possa mai lanciartelo davvero. Ora che ha aperto il nuovo messaggio fissa attonita lo schermo.

"È ancora lui?"

Fanny annuisce.

"E che ha scritto?"

"Cane del porco, non mandare tutto in mona, rispondeme!" scandisce. Elena scoppia a ridere.

"Ma cosa ridi," piagnucola Fanny. "Io come faccio adesso?"

"Ignoralo come il messaggio di prima," dice Elena, stringendosi nelle spalle. "Non rispondere. Poi t'inventerai qualcos'altro, gli dirai che avevi il telefono spento e finiscila lì."

"Ma è un messaggio WhatsApp, adesso che l'ho letto lui ha visto le spunte blu," piagnucola più di prima.

"Cribbio. E allora potevi evitare di aprirlo, no?" scatta Elena.

"L'ha chiesto Sara di dire cosa c'era scritto," risponde Fanny, che poi smette di piagnucolare perché è proprio scoppiata in lacrime. Io faccio un lungo respiro e riempio un bicchiere.

"Champagnino?" dico porgendole il flûte con un magnanimo sorriso: se ci aggiungiamo anche Fanny in lacrime potrei urlare.

"Fai così," continuo a dirle. "Primo butta giù d'un fiato." Lei esegue.

"Brava. Poi prendi il telefono, scrivi che non sei alla villa ma con la giuria dei lettori che deve inviare i voti. Il luogo è riservato, non puoi ulteriormente comunicare, appuntamento a domani, ciao."

"Non a questa notte in albergo?"

"A questa notte in albergo, ma certo Fanny, è uguale, vedi tu."

Bella nottata allegra, penso intanto che lei digita, visto come finirà con il premio. El Panteròn sbuffa quando legge il messaggio di Fanny, nemmeno finge di ascoltare le sciocchezze del mio ex marito Giorgio Nembro, gli importa solo di scrivere subito una risposta. Eccola, è arrivata.

"Che dice?"

"Vedi di fare qualcosa con i voti, te ghè capìo?" recita la nostra amica attonita. Poi di nuovo in lacrime legge anche questo:

"Se no te lo scordi il triche-trache, questa notte. Te ghè capìo ben?".

"Oddio il triche-trache," scoppia a ridere Elena. È adesso che appare Kostanza dalle scale con il volto disteso, anzi persino con l'ombra di un sorriso.

"Dimmi che la Breno è arrivata, Kostanza."

"Non posso spingermi fino ad affermare questo, signora Brivio, ma sono felice di comunicarle che il signor Marena ha appena chiamato. Riferisco: che città infernale," legge da un block-notes, evidentemente citando. "Siamo in viale Coni Zugna, secondo il navigatore tra quattro minuti saremo lì."

"Gli hai dato l'indirizzo del passo carraio, gli hai detto che possono parcheggiare subito dentro?"

"L'ho ribadito due volte, permettendomi anche una certa enfasi."

"Hai predisposto che qualcuno stia giù ad accoglierli?"

"Ho allertato una ragazza del service. Ha aperto e sta vigilando fuori dal cancello."

È così che ci affacciamo tutte alla grande finestra panoramica che dà sul giardino. Mancano dieci minuti all'inizio della conta dei voti, guidati dai ragazzi del service gli invitati stanno prendendo posto sulla schiera di seggiole davanti al palchetto su cui è pronto il tavolo dove si siederà Kostanza, il tabellone già acceso, uno zero sotto ai nomi di Nembro, Castagnèr, Breno. Qualcuno sta provando il microfono, qualcun altro sta facendo spostare con estrema pazienza e cortesia Pina Rol del "Corriere della Sera" che, incartapecorita, per errore o protervia si è seduta in prima fila nei posti riservati ai finalisti e ai loro accompagnatori. La troupe Rai apre un nuovo rapido collegamento, c'è un televisore qui in biblioteca, l'abbiamo portato su apposta per vedere cosa dicono del Brivio mentre va in scena la serata dello Strega, ecco l'inquadratura del mio giardino con i giornalisti dei quotidiani, i critici, i free lance, tutti di buon umore, tutti seduti un poco scomposti sulle seggiole della platea, sarebbero adorabili se non ricordassi che quelle come me le ignorano o al massimo gli dedicano una cordiale, sterile simpatia. A Roma intanto i voti stanno già arrivando, *Criptorrea* di Michele Cachi è in vantaggio, lui al Ninfeo osserva la lavagna con insopportabile ieratica alterità, ma che importa? Noi siamo a Milano, sono con le mie amiche e qui c'è la mia finale. Un paio di fari spuntano all'entrata del cancello, la ragazza del service si para davanti all'auto poi la guida verso l'interno del giardino, là dove il pavé si allarga verso la finestra dell'ufficio di Kostanza e abbiamo tenuto una piccola area libera.

"Bella macchina," dice Elena, chissà se seria o ironica.
"È una Volvo," dice Fanny.

Ha ragione, è proprio una grossa berlina scura marca Volvo, la riconosco pure io, anzi mi sembra di riconoscere anche il modello, mi sembra lo stesso dell'accompagnatore un po' troppo frettoloso di mia figlia, quello della notte in via dei Mulini, a Vigevano, in occasione della prima comparsa della Giraffa. Non faccio in tempo a notare la curiosa coincidenza che questa evidenza mi annichilisce: chi scende dalla Volvo, elegantissima, con il medesimo semplice abito nero di quella notte di quasi due mesi fa, è esattamente mia figlia Monica.

Non ditemi che non l'avevate immaginato. Sono io che mi devo rimproverare per non averlo sospettato fin dai primi capitoli del romanzo della Breno, perché se non lo sapete ve lo dico ora, qui, ufficialmente, firmandolo in calce: quello che scriviamo nei nostri libri viene dalle nostre esperienze vissute. Se non sono state vissute sono state almeno viste da vicino o per lo meno sentite raccontare di prima mano, tutt'al più immaginate come possibile evoluzione di qualcosa di cui abbiamo una conoscenza diretta, uno scrittore che vi dice il contrario statene sicuri mente per posa. Cambiate nomi, date, luoghi, modello dell'auto e marca dei vestiti, ma quel che viene raccontato in un libro ha strettamente a che fare con la storia dell'autore, se poi si tratta di un romanzo d'esordio come *Terno al lotto* peggio ancora. Dunque d'accordo New York al posto di Vigevano, d'accordo la high school di Newport invece del liceo classico Alvise Contarini, d'accordo l'orgia interraziale al posto del threesome con due africani, d'accordo anche l'imbellettatura filo-americana con le citazioni della Janowitz e del Brat Pack, ma era tutto così chiaro, tutto così scopertamente ovvio che non me ne sono accorta. D'altronde è un classico della psicologia spicciola, non vediamo ciò che abbiamo sotto il naso, non c'era proprio questo, per dire, alla base de *La lettera rubata* di Edgar Allan Poe?

Comunque al momento starei svenendo. Mi pizzica la pelle, mi si annebbia la vista, faccio appena in tempo a lasciarmi cadere su una seggiola, shock emotivo direbbe Elena, perché i sensi di colpa di Selene nel libro sono quelli che deve aver provato mia figlia nella vita, povera cara piccola Monica, lei per quasi due anni separata da noi, a Venezia, all'Alvise Contarini, che si arrovellava nelle notti insonni attribuendo a sé la responsabilità di quell'allontanamento traumatico che sentiva come una punizione, inventandosi misfatti mai perpetrati pur di spiegarsela.

"Signora Brivio, non sta bene?"

Kostanza mi versa un bicchiere d'acqua, mentre lo trangugio assurdamente penso ancora che la cosa importante ora sia non dir nulla, che la bella sorpresa di avere in finale nel mio premio non solo il mio ex marito ma anche mia figlia io debba tenerla per me, fare come se niente fosse, stare quassù nella stanza della regia, portare tutto a termine come programmato, poi andare a dormire. Ma è un pensiero che dura poco: il video trasmette la telecamera aperta sul tavolo dei finalisti, lì sono stati condotti anche mia figlia e Marco Marena, che è il suo editore e immagino anche fidanzato. Ecco la voce di Monica.

"Ciao papà," dice, scoppiettante d'allegria.

Qui in biblioteca alziamo tutte gli occhi sul monitor. Il mio ex marito invece si alza credo con l'impulso di scappare. Poi, omino ridicolo, si ferma ma non risponde a sua figlia, tace, e ansimando fa il giro del tavolo per frapporsi tra Monica e il suo fidanzato Maurice, allargando le braccia come le ali di una papera in un assurdo, puramente simbolico gesto che vorrebbe nascondere il camerunese. Monica adesso ride.

"Papà, guarda che nonostante i tuoi sforzi me ne sono accorta da un pezzo che questo signore è il tuo compagno."

"Non è vero," dice il mio ex marito, pronunciando le parole con un suono metallico, sputandole fuori come una mitraglia. "L'ho invitato per l'argomento del libro, a scopo testimoniale, è un africano, ha lavorato nella coltivazione del riso, lavora anzi ancora nelle aziende risicole, lui…"

Monica scarta suo padre con una specie di dribbling.

"Piacere di conoscerla di persona," dice, porgendo la mano al camerunese. "Io sono Monica."

"Maurice," mormora lui a mezza voce mentre Giorgio fa no, no, no istericamente con entrambe le dita, la fronte aggrottata, la bocca a culino di gallina.

"La bella signorina l'è dunque parente col sior Nembro qui?"

Ecco, El Panteròn si è presentato da solo, le sta dando la mano, avvolgendo quella di Monica con le sue dita a salsiccia mentre le sorride in una stretta infinita. Mollala, viscido, lasciala andare, mia figlia ha meno della metà dei tuoi anni, smettila, le attacchi una malattia. Poi mentre Marco Marena finalmente interrompe l'osceno contatto facendo il suo giro di presentazioni, Monica va da Bouvard e Pécuchet con in volto un bel sorriso, si vede che è felice di come è riuscita la sorpresa, è evidente che non ha raccontato nulla del suo libro a suo padre, è evidente che l'identità di Marina Breno è rimasta un segreto per tutti, è evidente pure che, sotto sotto, anche se non ci crede, solo la remota possibilità di incassare cinquecentomila euro l'ha fatta decidere a calare finalmente la maschera, a combinare questo favoloso colpo di teatro proprio qui, questa sera. Bouvard e Pécuchet, cioè Donatien e Thibaut, accolgono Monica con la cortesia che la circostanza richiede, d'altronde mia figlia sorride loro a viso aperto e un'altra cosa evidente è che non li ha riconosciuti. Il pomeriggio del venticinque aprile duemilaotto lei era concentrata su di me, prima suo malgrado su un mio particolare anatomico, poi sul mio volto come bersaglio contro cui scagliare ogni suppellettile a portata di mano, mentre loro due si spingevano via cercando di coprirsi con i cuscini del divano, ringhiandosi chissà cosa in patois. In italiano avevano detto solo "scusaci" rivolti a mia figlia, anzi l'aveva detto solo Thibaut con la sua voce cavernosa e il suo italiano ibridato col francese, "escusami" le aveva detto ed "escusami" aveva ripetuto, camminando all'indietro in direzione del bagno per rivestirsi, un braccio teso verso Monica per proteggersi da quei lanci che mancando me raggiungevano lui, l'altro braccio ripiegato davanti a trattenere un cuscino sulle pudenda.

"Piacere, Marina Breno," dice mia figlia mentre tende la mano a Pécuchet.

"Anzi Monica Nembro," dice ancora, alzando le spalle. Lui prima di rispondere, di stringergliela, si sente in dovere di scostare la sedia, alzarsi, chiedere scusa per averla lasciata ad aspettare con la mano tesa.

"Escusami," dice Pécuchet finalmente in piedi, stringendo la mano di Monica, guardandola diritta in viso. I lineamenti suoi e del suo amico in dieci anni sono cambiati ma la sua voce cavernosa e quel suo modo di dire per metà francese invece no. Monica ha già smesso di sorridere, mentre lui dice il suo nome lei sfila la mano da quella del camerunese fissandolo con la bocca semiaperta di chi è persa in altri pensieri, altri tempi, altri mondi. Quando arriva Bouvard con la mano tesa Monica vi posa lo sguardo come lo poserebbe sul tentacolo di un mostro marino, gli gira le spalle, guarda invece suo padre come se cercasse spiegazioni. Be', a questo punto direi che li ha riconosciuti anche lei, no?

"Io devo andare signora Brivio. È ora di cominciare, sono le dieci."

Questa invece è Kostanza, con la sua famosa precisione svizzera. Quando ritorno con lo sguardo sullo schermo, Monica è uscita dall'inquadratura. Nella barra inferiore, nell'icona dove in piccolo ci sono le immagini di tutte le telecamere, in quella puntata sul cancello d'ingresso del giardino, ancora criminalmente aperto, vedo invece una fugace figura allampanata attraversare la soglia, entrare, l'abito rosso fuoco, il passo rapido come la corsa di uno scoiattolo. Quando clicco sull'icona per allargare l'inquadratura ne è già uscita anche lei.

20.

Brivio seconda edizione

Chi lo sa, forse è vero che il tempo guarisce tutte le ferite o forse è vero che perlomeno alleggerisce il peso anche della più greve pietra tu possa aver posata sul cuore. La frase che ho appena scritto ammettiamolo è orrenda, potrebbe essere di una qualsiasi delle mie colleghe italiane che tanto detesto, che tanto più di me vendono, che tanto dunque ho sempre invidiato. Detto questo, considerata brevemente l'idea di acquistare tutte le case editrici che le pubblicano per il mero gusto di rifiutare loro le prossime opere piene di vento, luce, amore, pietre sul cuore, è pur vero che per esempio io nonostante abbia invitato qui Giorgio in veste di cretino cui impartire una sconfitta umiliante, non riesco più a provare per lui l'odio dei primi anni, l'odio con cui l'odiavo dopo il fattaccio che mi ha scombussolato la vita, un odio che mi faceva bramare la sua rovina, sofferenza, morte.

"A nostra figlia ho detto solo la verità, quella che tu ben conosci, *scrofa!*"

Questo aveva inteso dirmi nel nostro primo incontro·per il divorzio, testuali parole, scrofa inclusa, pronunciate in presenza dei nostri legali, convocati per dare avvio alle procedure di separazione. Era la risposta alla mia domanda su che cosa avesse raccontato a Monica visto che nostra figlia si rifiutava categoricamente non dico di vedermi ma almeno di ricevere una mia telefonata, di leggere una mia email, di consentirmi una spiegazione.

"E la verità è," aveva anche inteso aggiungere Giorgio, "che sei tu ad avermi sempre spinto a fare queste porcherie, tu che pretendevi che io... io..."

Eravamo nello studio dell'avvocato Magris seduti a un tavolo in noce con il piano di vetro verde, sul pavimento c'era un tappeto persiano, alle pareti i quadri col Ticino del pittore vigevanese Zanoletti, dalle finestre vedevi uno scorcio della piazza e i tavolini del Caffè Commercio, ma non sentivi una voce, una risata, niente, Magris avrà avuto i doppi vetri o che ne so, in ogni caso in quella penombra ovattata mio marito taceva, incantato sulla sua frase spezzata.

"Che tu cosa?" avevo abbaiato, quando l'attesa era diventata insopportabile.

"Che io guardassi! Che io mi umiliassi assistendo alle tue orrende evoluzioni!"

Mi aveva annichilita. Il ribaltamento della realtà era così mastodontico che non sapevo nemmeno da che parte cominciare per spiegare agli avvocati che la verità era completamente diversa. Con perfetta scelta di tempo, Giorgio aveva estratto le foto. Non aveva mai smesso di farle, dopo le polaroid aveva preso a scattarle in formato elettronico, poi doveva averne stampato una selezione perché da una busta ne aveva sparpagliato una cinquantina sul tavolo.

"Vedete? Vedete? Vedete?" aveva squittito, come se tutto fosse evidente per il semplice fatto che nelle foto comparivo solo io insieme ai nostri amici neri mentre Giorgio invece no, d'altronde come avrebbe potuto se nel frattempo era impegnato a inquadrarci? Comunque quegli scatti a dir poco crudi erano stati impietosamente mostrati allo sguardo di tutti, non ci fossero stati gli avvocati sarei saltata al collo di mio marito, avrei cercato di buttarlo giù dalla finestra, lo odiavo disperatamente, lo odiavo con tutto il cuore. Ci credete se vi dico che invece adesso tutto questo mi fa sorridere? Che Giorgio per me è solo un solenne, tronfio ebete, bisognoso di un'altrettanto solenne pernacchia?

Io credo che si debba ringraziare lo stesso tipo di effetto lenitivo esercitato dal trascorrere del tempo se Monica ora è seduta in prima fila con l'editore Marco Marena che le tiene una mano. Intendo dire che mia figlia è rimasta qui, non ha fatto una scenata, non è fuggita, non ha assalito a male parole suo padre nonostante abbia capito che se i due neri della oscena double penetration sono qui con lui in una serata come questa, il rapporto tra loro e suo padre doveva essere stato anche all'epoca dell'incidente di familiarità e reciproco interesse. Andiamo, papà, starà pensando adesso Monica mentre lo fissa incuriosita con i voti che pian piano arrivano, tu sei omosessuale. Tu hai una specie di fidanzato africano di cui pretendevi di nascondermi l'esistenza. E ti presenti al primo e unico premio della tua vita con lui e con i due africani che, guarda caso, erano con mia madre quel giorno là?

Monica sorride ma non perché le abbia detto qualcosa il suo editore, sorride per conto suo. Sono sicura che stia sorridendo perché i suoi pensieri sono proprio questi, sorride perché ora sta finalmente cogliendo il lato comico della situazione, la farsesca doppia vita di entrambi i suoi genitori, padre incluso, e l'inciampo quasi involontario in cui, in un lontano venticinque aprile, sua madre è stata trascinata. Monica sorride perché adesso le sembra appunto solo ridicolo, non più oltraggioso, il goffo gruppo del Laocoonte che non si riusciva a sciogliere, sorride per la faccia di quella sua povera madre disgraziata, perché davvero, che faccia da assoluta deficiente posso aver fatto in quell'occasione, la bocca spalancata in una smorfia sbigottita, gli occhi fuori dalle orbite, sprofondata nel panico, dilaniata dalla vergogna?

"Che c'è di divertente?" le chiede Marco Marena carezzandole il dorso della mano. Lei alza le spalle continuando a sorridere.

"Una cosa mia," mi pare che dica. "Mia e di quei dementi dei miei genitori."

Le parole di Monica sono queste o almeno mi sembra, lo dico perché a proposito di essere demente mi sono seduta dietro di lei, non nella fila immediatamente dopo la sua ma in quella successiva, dall'alto ho visto una seggiola libera in quella posizione, è stato un raptus, non ho resistito. Ho lasciato i monitor e il salone della biblioteca, sono scesa di corsa, ho improvvisato un camuffamento con quel che ho trovato in ingresso, i miei grandi occhiali stile Sandra Mondaini, il mio cappello a falda larga, poi mi sono seduta qui. Non mi deve riconoscere nessuno, non Monica, non il mio ex marito, soprattutto non quella psicopatica della Giraffa, l'intrusa che indossa il soprabito rosso nonostante sia luglio e che ora come ora sta percorrendo occhiuta il perimetro dove sono seduti gli invitati, evidentemente cercando me. Passa qui di fianco, non mi vede, continua verso le file posteriori, nell'ultima è seduto Gualtiero Quintavalle. Al mio amministratore scrivo subito un sms, "Lilly Ramella si è intrufolata in giardino, è quella in rosso, la vede?". Lei, allungando lo sguardo a scansionare il pubblico, procede in direzione di casa mia stringendo in mano una busta manila. Conterrà esplosivo?, mi chiedo per un istante. Poi la voce di Kostanza mi richiama alla realtà della premiazione.

"Castagnèr," dice la mia segretaria al microfono, sul palchetto.

Quest'anno abbiamo deciso per una cosa un po' anni settanta convenientemente teatrale. Sul tavolo dietro cui siede la mia impiegata svizzera c'è un vecchio telefono con i numeri a disco, Kostanza tiene la cornetta grigia premuta contro l'orecchio, i voti le vengono comunicati via cavo dall'inesistente sala della giuria popolare, in realtà glieli diciamo noi uno per uno dalla biblioteca secondo una sequenza ben precisa che abbiamo studiato per aumentare la suspance, poi Kostanza li annuncia al pubblico e con un tastierino fa avanzare il contatore sullo schermo alle sue spalle. Siamo Castagnèr 25, Breno 8, Nembro 0.

Mio marito non si muoverà da tale cifra umiliante, questo non può saperlo ma al punto in cui siamo con lo spoglio dei voti si sta rendendo conto che i cinquecentomila euro col piffero che li intascherà lui, dunque si sta agitando sulla seggiola, stropiccia tra loro i piedi che toccano appena terra, si gira di tanto in tanto a guardare le ultime file dove ha preteso che fossero relegati Maurice, Donatien, Thibaut, l'imbarazzo per essere stato scoperto da nostra figlia lo sta facendo morire di vergogna, non poteva sopportare di starle accanto con anche i tre neri in vista. El Panteròn invece annuisce, è seduto come gli altri finalisti in prima fila, mia figlia è sulla seggiola alla sua destra, lui guarda Monica come se volesse incoraggiarla perché è chiaro che a questo punto tutti pensano che vincerà *La porcona e il camposanto*, non a caso gli arrivano altri due voti, Elena e Fanny dalla biblioteca li notificano a Kostanza con perfetta scelta di tempo.

"Castagnèr," dice la mia segretaria. "Ancora Castagnèr."

Dunque 27, 8, 0.

"Castagnèr, Breno"

28, 9, 0.

"Ecco, brava signorinéta, un altro voto anca par ti! Dai che rimonti, no ti stare a perdere d'animo, veh? Vedrai che adesso lo batti questo vecio stambéco."

Mi scappa una risatina.

"Mi spiace per il tuo pà'," dice ancora El Panteròn, lanciando un'occhiata a Giorgio che è alla sua sinistra tre seggiole più in là, tre seggiole rimaste vuote, erano quelle degli amici africani.

"Ma neanca un voto ghe danno questi mona della giuria? Che sia un fenomeno di razismo? Il romanzo del tuo pà è ben un romanzo su un negro, giusto?"

"Non lo so, non l'ho letto, alla prima pagina mi aveva già ammazzato di noia," dice Monica, alzando le spalle. El Panteròn ride facendole quel gesto con la mano che vorrebbe dire ahi che monella, che discola. Rido anch'io ma poi subito smetto perché è arrivato un sms di Quintavalle: "Non vedo la Ramella, è sicuro che fosse lei?".

"Soprabito rosso da pugno in un occhio," scrivo, "dev'esserle appena passata di fianco."

"Forse mi ero appisolato un istante," risponde il mio amministratore. Io emetto un lieve gemito ma nient'altro, ora come ora non ho tempo per preoccuparmi della Giraffa.

"Castagnèr. Breno. Breno," dice Kostanza. Bene, credo che ci siamo.

"Ancora Breno."

"Breno."

"Breno."

Sì, il meccanismo funziona perfettamente, guarda la faccia del Panteròn. I tre finalisti, Castagnèr, Breno, Nembro sono ora a 29, 14, 0, dopo la raffica di cinque voti per mia figlia l'espressione sul volto dell'autore de *La porcona e il camposanto* è simile a quella di chi si fosse seduto per errore su di un grosso oggetto acuminato. Kostanza poi legge altri due voti, sono entrambi per Monica, poi un altro per El Panteròn, poi ancora addirittura tre per Monica, il vantaggio dello scrittore veneto si è già pericolosamente assottigliato anche se è ancora consistente, siamo 30 a 19. Il mio ex marito ancora fermo a zero si passa la mano sul viso, il capo reclinato a fissare l'erba tra le scarpe, Daniele Castagnèr invece si issa in piedi, si sfila la giacca dello smoking e rimane in camicia e allodole come se intendesse affrontare fisicamente lo sprint finale. Marco Marena mette un braccio intorno alle spalle di Monica, con un dito minaccia El Panteròn.

"Stia attento, maestro," scherza, "che adesso la riprendiamo."

Lo scrittore veneto per un istante lo guarda e basta poi s'infila una mano in tasca, che si stia toccando lì sotto attraverso il tessuto dei pantaloni? Sarebbe un gesto scaramantico di una volgarità che gli si addice ma poi chissà, forse l'ha fatto davvero oppure no, perché la cosa che fa dopo è estrarre di tasca il suo cellulare, tornare a sedersi, digitare sulla tastiera. Da qui lo vedo bene, è un cellulare di quelli per anziani con la visione facilitata, riesco a vedere bene anche che nome ha selezionato in rubrica, guarda caso è Fanny, poi però il telefono lo posa in grembo lasciando nel mistero che cosa le stia scrivendo ora. Mi giro verso le finestre della biblioteca. Per evitare di essere viste le luci dentro sono spente, la notte è poco illuminata da un quarto di luna, i fari sono tutti puntati qui sul giardino, in biblioteca c'è il bagliore dei monitor ma solo sapendo cosa stiamo combinando si può indovinare che quelle due sagome lassù siano Elena Beltrami e Fanny Moschino. Mi pare che una delle mie due amiche mi saluti, mi pare che l'altra abbia la cornetta del telefono premuta contro l'orecchio. Kostanza in effetti riceve altri voti. "Castagnèr, Breno, Breno. Poi un altro per Breno."

Il tabellone indica 31, 22, 0, e proprio ora che abbiamo oltrepassato la metà dello spoglio dei cento voti del Brivio, tra il pubblico si diffonde la voce che a Roma, al Ninfeo di Villa Giulia, *Criptorrea* di Michele Cachi ha superato la soglia di preferenze per la vittoria certa, quest'anno il premio Strega è suo. Come volevasi dimostrare, dice il mio vicino di sinistra, suchiamoci quest'altra bella cachiata, dice quello di destra, ma io nemmeno li ascolto. Io piuttosto guardo Giorgio che si è alzato in piedi, che si sbraccia come se in mano avesse delle bandierine e guidasse istericamente la manovra di un aeroplano, Giorgio che ha perso la testa, è evidente, perché non solo ha appreso che sua figlia conosceva alla perfezione quella che lui pensava fosse la sua vita segreta, ma si è bruciato pure l'episodio alla base della sua narrativa contro di me, per di più in una serata che doveva essere la sua rivincita sul mondo delle lettere ma dove, invece, sta conoscendo la più umiliante delle sconfitte.

"E allora? Ho sete, si può avere da bere o no? Sono o non sono uno dei finalisti?"

Questo sta sbraitando verso uno dei tavoli del catering mentre in giardino le teste si girano verso di lui e Kostanza prosegue indifferente la sua conta.

"Breno, Breno. Castagnèr, Breno."

Dunque siamo a 32 per El Panteròn, 25 per mia figlia, 0 per il mio ex marito, quando finalmente un addetto del catering arriva a chiedergli che cosa desideri bere.

"Champagne!" abbaia Giorgio. L'addetto fa un gesto verso un tavolo, arriva di corsa un ragazzo con un vassoio e un flûte poggiato sopra e tu guarda, il ragazzo è Lugano. Il mio ex marito esamina il bicchiere schifato, lo prende, svuota lo champagne sull'erba.

"Bot-ti-glia," scandisce a Lugano, guardandolo negli occhi dal basso verso l'alto, la differenza di altezza d'altronde è notevole.

"Non posso darle una *bot-ti-glia*," gli risponde Lugano facendogli il verso, restituendogli lo sguardo con un sorrisetto. "Al massimo le posso portare un altro bicchiere, se questo non andava bene."

"Dai Giorgino bello, siediti. Stai buonino che qui la facenda della votasione si fa ben complicata. Calmìno e andiamo avanti, d'acordi?"

Così cerca di quietarlo El Panteròn. Errore madornale: mai usare tutti quei diminutivi con mio marito, ha un ego spropositato, le sue manie di persecuzione lo inducono a pensare che ci si stia prendendo gioco della sua altezza, ergo si adonta.

"Bottiglia!" urla il mio ex marito. "Bottiglia, maledetto illetterato. Sono un finalista, non ho ancora preso neanche un voto, potrò avere almeno una bottiglia di consolazione o te le sei ficcate tutte su per il culo?"

"Castagnèr," dice Kostanza, imperterrita. "Breno, Breno. Ancora un voto per Breno."

Il tabellone passa a 33, 28, 0, mentre Giorgio, come il tronfio beota che di fatto è, sbraita prendendo a male parole Lugano, il premio Brivio, Daniele Castagnèr, pure la Rai-Tv, che là in fondo continua per fortuna a puntare la telecamera sul palco senza badare all'isteria dell'autore del *Bernard Kaboré*. E allora io che faccio? Io in preda a uno dei miei impulsi irrefrenabili mi alzo, mi libero di occhiali e cappello, corro a uno dei tavoli del catering, afferro una magnum di Cristal, torno alla prima fila e mi piazzo a gambe larghe davanti a Giorgio.

"Castagnèr, Breno, Breno. Castagnèr, poi Breno," dice Kostanza.

"Ancora lei?!" dice Lugano.

"Mamma?!" dice Monica.

"Sara?!" dice Giorgio.

"Ma guarda un po'," dico io, che sto cercando senza successo di liberare dalla gabbietta il tappo della magnum per spararlo in faccia al mio ex marito.

"Breno, Castagnèr, Breno, Breno," dice Kostanza.

36, 34, 0, in un angolo del mio cervello riconosco l'inizio della sequenza al cardiopalma che abbiamo programmato per arrivare al vincitore, finalmente strappo via la gabbietta, poi sento una mano che mi si posa sul braccio.

"Non fare scemate," dice la bella voce serena di Elena, spostandomi la pistola, pardon la bottiglia, dal volto di Giorgio al cielo. Il tappo parte e tutto il danno che ne subisce il meschino autore vigevanese è una doccia di champagne ghiacciato.

"Breno. Breno," dice Kostanza, siamo 36 pari, ora si va avanti un voto a testa fino agli ultimi due che andranno a *Terno al lotto*.

"Cosa fai qui giù?" ringhio a Elena ignorando mia figlia e il mio ex marito. Lei, Elena, santa donna, con un dito davanti alla bocca e un movimento minimo di occhi e sopracciglia verso le finestre della biblioteca mi intima di tacere e ha ragione, cosa mi metto a fare ora, a svelare tutto l'arcano per uno scatto di nervi?

"Guarda che c'è la Ramella," sussurra la mia amica "Dev'essere riuscita a entrare dal cancello del giardino."

"Lo so già. E quindi?"

"Si è infilata in casa. Ti sta cercando. O forse sta cercando di rubarti di nuovo il César o chissà cosa d'altro."

"Castagnèr, Breno," annuncia Kostanza dal palco. "Castagnèr, Breno. Breno, Castagnèr."

"La si leverebbe velocemente da in mezzo alle palle che qui la situazione è tesa, la mia bella signora del catering?" mi dice El Panteròn, cercando di trascinarmi via per un braccio senza darmi il tempo di sentire altro dalla mia amica, mentre dalla prime file della platea sale un brusio infastidito per la confusione che stiamo facendo. Io mi scrollo di dosso lo scrittore veneto lanciandogli uno sguardo omicida, scuotendo la testa, ghignando.

"Fesso. Il catering? Non hai ancora capito?"

La voce amplificata di Kostanza copre la risposta del Panteròn.

"Castagnèr. Breno. Poi Castagnèr, poi Breno."

Cioè 41 a 41, per pietà tralasciamo gli zero voti di Giorgio Nembro, tralasciamo anche la sua faccia simile a quella di un batrace che avesse appena ingoiato per errore un calabrone anziché un moscerino.

"Ma lei è Sara Brivio!" dice Marco Marena che si è alzato insieme a mia figlia. "Ho letto tutto quello che ha scritto. *Il pane e la morte! Vittoria è solo il nome di un'amica perduta!* Lei è un genio. E *Romanzo con automobile sportiva?* E *Le chiavi del purgatorio?* Lo sa che il mio sogno è sempre stato ristampare la sua opera completa?"

"Castagnèr. Breno. Ancora Castagnèr, ancora Breno."

"Ma chissenefrega dei libri di questa, mona di un mona! Tasi bèn che siamo in testa a testa!" Così dice El Panteròn all'editore della Buon Corsiero. Poi si gira verso di me con la bava alla bocca.

"E ti, cesso coi piè," abbaia puntandomi il dito contro. "Fesso lo dise a tuo nonno, non a me. Io sono uno scritore importantisimo! Uno scritore di fama anca mondiale!"

"Castagnèr. Breno," prosegue senza tregua Kostanza. "Ancora Castagnèr, ancora Breno. Poi Castagnèr. Poi Breno."

"Ma guardati allo specchio, marcione!" Così invece sbraita mia figlia contro El Panteròn, incurante del fatto che siano 46 pari, che manchino solo otto voti, che tra meno di un minuto potrebbe finirle, anzi, come io so per certo, le finirà in tasca la bellezza di mezzo milione. "Cesso con i piedi mia madre? Tu che ti aggiri con quelle camicie bisunte? Con i sandali e le calze? Con quei capelli tinti e la pettinatura da pirla alla tua età? Ma taci e lavati la bocca col sapone, va'!"

"Tu…" riesce finalmente a gracidare il mio ex marito, anche lui puntando il dito contro di me, poi usando quel dito per fare un gesto circolare che collega me, la villa, il giardino.

"Sì, proprio io," dico, mentre Giorgio vacilla portandosi una mano alla gola come se stesse soffocando, Elena lo prende al volo prima che cada, il ragazzo del catering fa da croce-rossina pure lui così sono in due a adagiare Giorgio per terra mentre cresce il brusio del pubblico e dal fondo del giardino arriva di corsa Gualtiero Quintavalle.

"La Ramella è sotto controllo," dice ansimando un po'.

"Le chiedo scusa, prima me la sono lasciata sfuggire per un lieve colpo di sonno, ma ci ha pensato la sua governante."

"La Gianna?"

"Lei. L'ha inseguita, ha proditoriamente recuperato una busta che a quanto pare intendeva sottrarle, l'ha chiusa in un bagno. Per parte mia ho già allertato la polizia per violazione di domicilio."

"La polizia? Una busta?"

"Castagnèr, Breno," dice Kostanza. "Castagnèr e ancora Breno."

Eccoci, 49 pari: Quintavalle non mi risponde, lui, tutti, persino io, ci giriamo verso la mia segretaria e il tabellone. Kostanza tiene il telefono ben premuto contro l'orecchio, apre la bocca, la richiude, sembra pensarci su, sembra ascoltare di nuovo il telefono con accresciuta concentrazione. Poi dice questo:

"Nembro?".

Sì, ha detto proprio Nembro, mettendoci in fondo il punto interrogativo. Il tabellone passa a 49, 49, 1, Giorgio, a terra, supino, alza il pugno in segno di vittoria mentre io e Elena invece ci guardiamo perché questo è totalmente, irragionevolmente fuori programma. E di nuovo contro ogni programma nella villa, al primo piano, le finestre della biblioteca ora sono spalancate, le luci accese ed eccola là la nostra amica Fanny che si staglia nitida nella sua forma cilindrica contro il bagliore caldo delle lampade fluorescenti, anche lei con la cornetta del telefono all'orecchio. Sta dicendo qualcosa, sta dettando a Kostanza l'ultimo voto. Glielo leggo sulle labbra sin da qui, poi la mia segretaria si schiarisce la voce e lo dice davvero:

"Castagnèr".

Il tabellone passa a 50, 49, 1, El Panteròn alza le braccia

al cielo e urla "Madòòònega" trascinando la "o" all'infinito, poi parte per un giro di corsa del giardino come un calciatore che avesse appena segnato un gol, mentre dal parterre di invitati si alza un fragoroso applauso. Fanny, là in alto, allarga le braccia con in volto, indovinate? Indovinato? Esatto, bravi: la sua espressione più accorata.

"Questo è inammissibile," dice Quintavalle.

"Ma il gioco è fatto," gli rispondo io con un filo di voce.

Poi senza pensare a niente abbraccio mia figlia.

"Dovevi vincere tu. Ti meritavi di vincere tu. È come se avessi vinto tu," farfuglio. "Te li do io i cinquecentomila."

Lei non profferisce verbo ma dal mio abbraccio si scioglie con risolutezza, poi con le mani fa un gesto come a respingere l'aria dello spazio che ci separa. Mamma, sembra che dica, non esagerare.

"Ti do un milione, due, dieci milioni," dico io, che invece esagero eccome.

"E io, e io?" gracida il mio ex marito dal prato.

"Per lei c'è un'ambulanza in arrivo, ho appena chiamato anche quella," dice Quintavalle. Poi El Panteròn finisce il suo giro trionfante tornando qui davanti alla platea, ansando sotto al palchetto, mentre gli ospiti gli si stringono addosso a sommergerlo di immeritati complimenti. Io mi giro di nuovo verso mia figlia ma lei e Marco Marena sono spariti. Nella piazzuola in fondo al giardino la Volvo dell'editore ha i fari accesi. Ecco che sta facendo manovra, ecco che imbocca il cancello aperto su via Brisa, ecco che va.

"Senta, quella povera disgraziata chiusa in bagno," dico a Quintavalle con un filo di voce, mentre in lontananza già sento una sirena, chissà se quella dell'ambulanza o della polizia.

"Non voglio saperne niente. Lasci perdere. La mandi via."

Epilogo

21.
Finale azzurro

Oltre la balaustrata della terrazza il mare è azzurro scuro, il cielo si stacca all'orizzonte in un colore azzurro più chiaro, denso, pastoso, mentre quei puntini bianchi al largo potrebbero essere barche a vela oppure, vai a sapere, yacht, non riesco a distinguere, anzi forse dovrei finalmente ammettere di essere miope e portare gli occhiali. Elena dev'essere in piscina, da qui si sente lo sciabordio in sordina di qualcuno che nuota, la mia amica ha stile, fende nuda il pelo dell'acqua senza sollevare schizzi lieve come un delfino, anche se poi chi lo sa, la piscina non la vedo, è di fianco alla villa dietro la siepe di ligustro, ma poi chiunque sia che m'importa? Io non mi devo distrarre, io sto scrivendo.

Mi prendo solo un minuto per bere un sorso di tè freddo, per lasciare che i ricordi si condensino in poche azioni precise che io possa scegliere, modificare, integrare con pure invenzioni e raccontare senza spreco di righe, perché questo è ciò che fa uno scrittore. Ma tu guarda che meraviglia qui sotto la nostra piccola spiaggia. Un ombrellone blu che proietta una lunga ombra pomeridiana, le sdraio con la tela a fasce arancio e verdone come i cuscini di quelle del giardino a Milano, una barchetta a remi bianca con una striscia celeste che ne decora il bordo, sistemata ben lontano dalla riva ché i ragazzi della manutenzione l'hanno tirata in secco ieri sera prima del temporale. Ai lati del nostro microscopico golfo siamo protette da sbalzi di rocce, su quello a ovest non si sa dove possa affondare le radici ma cresce una coppia di pini marittimi, su quello a est invece non ci sono che pochi arbusti, dall'alto della terrazza puoi guardare oltre senza fatica, vedi tutta l'Anse de l'Argent Faux, con lo sguardo arrivi fino alla spiaggia della Baie des Milliardaires. Prendo il binocolo per essere certa ma nel campo da tennis sopra la Baie stanno davvero giocando un uomo e una donna entrambi nudi, d'altronde qui è tutto privato, niente turisti, siamo nell'ultima selvatica propaggine del Cap d'Antibes, in Costa Azzurra. Io lo so che è impossibile ma non riesco a frenare la fantasia, io non riesco a non pensare nei giorni pari che la spiaggia dell'Hotel des Etrangers dove faceva il bagno Dick Diver fosse questa, nei giorni dispari che la villa dove alloggiamo sia invece quella dell'estate di Cécile nel romanzo della Sagan. Volevo comprare un posto così per passarci l'estate, di fronte alla mia richiesta Gualtiero Quintavalle ha storto il naso.

"Signora Brivio, mi permetta: chi glielo fa fare? Con i francesi e una proprietà di prestigio sono solo grattacapi, una seccatura alla settimana. Se poi si stufa, rivendere nell'alto lusso oggi come oggi è un'impresa. Se vuole un bel posto in riva al mare, l'affitti."

Questa villa me l'ha trovata lui, sospetto che l'affittasse per il mio escrementizio genitore, chissà, forse era qui che venivano lui e la Giraffa, d'altronde ha tre piani, cinque stanze da letto, cinque bagni, la tecnica della separazione, della frequentazione a piccole dosi sarebbe stata perfettamente applicabile anche restando tutto il tempo in casa. Comunque c'è pure una piscina da venti metri, un campo da tennis, la spiaggia privata, la lunga profonda terrazza sul mare che si estende per l'intera facciata dove ho sistemato tavolino, ombrellone, computer. Scrivo qui, accanto alla balaustrata di marmo, questo spazio vuoto e tutto per me mi fa scrivere meglio, non c'è nulla che mi opprima, le idee respirano, si allargano, i grandi vasi da fiori con le agavi, i gerani, gli oleandri li ho fatti spostare più in là, oltre la piscina, dove il terreno sale per raggiungere la sommità del Cap e comincia il giardino con le palme, i limoni, i graticci di buganvillee. È un giardino rigoglioso ma ordinato, d'altronde nella manutenzione è incluso un giardiniere che ci fa visita ogni mattina, che cura anche le piante in vaso sulla terrazza del primo piano e quelle dell'altro piccolo terrazzo sul tetto, dove si annida una seconda, minuscola piscina. Mi è sempre piaciuto finire in bellezza i miei romanzi, se preferite chiamatela infantile ossessione per il lieto fine, è che ho la sensazione di avere un debito verso i lettori, hanno speso dei soldi per il mio libro, hanno speso una parte della loro vita per leggerlo, non posso lasciarli andare con l'amaro in bocca. Dunque il finale di questa mia personale storia potevo forse concepirlo in un posto meno bello di così?

"Sciura Brivio, prepari par i setùr?"

Lo strillo arriva dalla porta-finestra della cucina qui al piano terra, sono le cinque, già la Gianna pensa alla cena che no, non va bene per le sette, qui in Côte d'Azur ceniamo tutti i giorni alle otto ma tutti i giorni lei, testarda, lomellina, fingendo di dimenticarsene propone di mettere in tavola un'ora prima.

"Gianna, facciamo come al solito per le otto. E le ostriche, per cortesia: le porti in tavola solo quando ci siamo sedute, non alle sette e mezza, che altrimenti si riempiono di moscerini."

"Ma va da via i pè vi altar e al pès crùd!"

Se la conosco bene è questo che ha detto ma ammetto di non aver capito, ha borbottato sottovoce, sto solo immaginando, le ostriche per lei rientrano nella generica, esecranda categoria del pesce crudo, mandarci a dar via i piedi invece è la tendenza dacché siamo in Costa Azzurra. Le avevo promesso che dopo il premio sarebbe andata in vacanza, aveva prenotato il quattro stelle dell'anno scorso a Rapallo, poi però è arrivata la voglia di scrivere e la voglia di prendere subito un posto bello come questo per andarci a scrivere. Povera Gianna. Ma andrà in vacanza in settembre, e facciamo che le darò un mese e mezzo libero invece di uno solo, e facciamo anche che per farmi perdonare offrirò tutto io.

Siamo in agosto, credo intorno al dieci, al quindici, qui si perde il conto dei giorni. Le lancette dell'orologio girano, la mattina diventa pomeriggio, poi notte, ma restano immobili i fogli del calendario. Stiamo nude all'ombra, al sole, la mattina, la sera, in spiaggia, in piscina, in mare, in casa, proviamo ogni minuto il piacere dell'aria che soffia sulla pelle, ci vestiamo solo quando usciamo a cena a Cannes, Antibes, Juan-les-Pins. Restiamo nude qui peggio che a Milano.

Elena ha consegnato il nuovo romanzo a fine luglio prima di partire, ora è in vacanza anche dallo scrivere. Legge, nuota, si abbronza, certe notti dorme fuori, ha un amico che sta in albergo a Nizza. Fanny invece sta chiudendo l'ultimo racconto di un nuovo libro, scrive nel gazebo del terrazzo al primo piano, all'ombra delle buganvillee. No, non abbiamo litigato. Sì, le ho perdonato di aver fatto vincere El Panteròn. Ho fatto più fatica a lasciar correre su quel voto di consolazione dato al mio ex marito ma le ho perdonato pure quello. Lei e lo scrittore veneto stanno ancora insieme? Gliel'ho chiesto ieri.

"Io e Daniele? Ma noi non siamo *mai* stati insieme. Ci vedevamo di sera quando lui era a Milano, tutto lì."

Tutto lì? Quando mai, povera cara amica nostra. Eravamo su questa terrazza, stavamo bevendo un bicchiere di vino prima di cena qui al tavolino, c'era anche Elena, la nostra amica Fanny si guardava le punte dei piedi, spostava gli occhi sul bicchiere, sull'orizzonte, sulle rocce, mai su di noi.

"E quando torneremo vi vedrete ancora?" le ha chiesto Elena con delicatezza, carezzandole una mano, era evidente che voleva evitare che a Fanny partisse il famoso tono accorato.

La nostra amica ha risposto stringendosi nelle spalle, roteando gli occhi, facendo boccuccia, tutta una mimica facciale da comica finale che significava che quel debosciato di Daniele Castagnèr dopo aver intascato l'assegno doveva aver messo in chiaro che non si era mai trattato di un fidanzamento, nemmeno di una relazione, solo di una frequentazione occasionale con reciproco scambio di effusioni, per cui addio. Ma poi ieri Fanny ha smesso di fare quelle smorfie alla Stan Laurel & Oliver Hardy.

"Però, ragazze," ha detto sospirando. "Avrà avuto anche un cetriolino... Ma quanto ci ha dato?"

Era nuda con il suo bulbo di capelli fulvi in testa, i fiammanti peli del pube di nuovo folti, intricati, lucenti come una paglietta per lavare i piatti, il corpo cilindrico spezzato in una posa angolata sulla seggiola di rafia. Aveva pure mimato l'atto con un gesto a stantuffo della mano destra sembrando più un Alvaro Vitali al femminile che non l'immaginaria donna di mondo che cercava di scimmiottare. Come si può non perdonare *qualsiasi cosa* a una così?

"E lo sapete," ha continuato, concentrata sulla bottiglia da cui si stava versando un secondo bicchiere di vino, "che Daniele me l'ha raccontato?"

"Cosa?"

"Mi ha raccontato perché lo chiamano El Panteròn."

Elena è sobbalzata sulla sedia.

"Ma come?" ha detto, per una volta perdendo il suo aplomb. "A te sì e a me no?"

"Doveva pur cercare di convincermi a fargli vincere il premio, no?"

L'uomo da uno virgola zero Cùlec, davvero.

"E quindi?" l'ho incalzata. Non m'importava del perché, non m'importava se c'entrava il premio, m'importava di sapere.

"E quindi?" l'ha incalzata anche Elena, perché Fanny tardava a rispondere. La nostra amica ha alzato lo sguardo su di noi, arrossendo. Stava arrossendo sugli zigomi, sulle guance, sul collo, sul petto, te ne accorgevi nonostante l'abbronzatura. Poi ha scosso la testa prendendo un lungo respiro.

"Sapete come la penso sui romanzi, no?" ha detto, questa volta proprio con il suo marchio di fabbrica, il tono più accorato. "Sapete quello che dico sempre di quando il cumulo di avvenimenti misteriosi raccontato nella prima parte di un libro, che è la parte bella, appassionante, dove il mistero cresce, si gonfia e sembra quasi esplodere, sapete come la penso quando arriva il punto in cui questo cumulo di eventi arcani viene finalmente spiegato. Per il lettore è sempre..."

Si è fermata gesticolando, come se cercasse di catturare con le mani la parola giusta che svolazzava nell'aria.

"Una delusione," ho finito per lei. "La spiegazione non è mai all'altezza. Il romanzo si affloscia come una gomma bucata e finisci di leggerlo mandando a quel paese l'autore."

"Esatto," ha detto la mia amica, con un sorriso mesto.

"E quindi?" le ha chiesto di nuovo Elena.

"E quindi la rivelazione del soprannome di Daniele la tengo per me."

Va da sé che le ho perdonato anche questo, d'altronde non è come se anch'io avessi fatto la stessa cosa? La busta manila con cui si aggirava la Giraffa in casa mia la notte del premio non l'aveva sottratta a me, era sua, la stessa che da settimane cercava di mettermi in mano suonando il citofono o passando attraverso l'ufficio di Kostanza.

"Non ti interessa nemmeno sapere perché tuo padre se n'era andato? Non ti interessa sapere che cosa mi diceva di te?"

Questo era stato l'ultimo messaggio che avevo ricevuto da Lilly Ramella prima di mettere il suo numero nella lista nera. Per un po' lo smartphone mi aveva segnalato sue chiamate bloccate, suoi messaggi rifiutati, poi più niente, si era rintanata in Svizzera e con la sua macchina da scrivere con le "a", le "o", le "e" tutte annerite aveva scritto quei cinque o sei fogli di memorie.

"Brivio, fai la brava," aveva detto andandosene la sera del premio, senza nemmeno metterci davanti il suo solito dè, scarmigliata, avvilita, dopo avermi finalmente consegnato la busta manila. "Tu leggi. Poi magari ti viene in mente che l'assegno me lo dovresti dare per davvero."

Dunque lì dentro c'era la sua verità su mio padre. Sul perché era sparito da Vigevano abbandonando sua moglie agonizzante e sua figlia incinta, sulle cose che alla Giraffa aveva raccontato della figlia medesima, cioè me, sulla loro vita insieme ma a distanza nella ridente cittadina di Brig. La verità su mio padre o in altre parole l'arcano che si nascondeva dietro il grande mistero della mia vita. Il bustone non l'ho neanche aperto, l'ho bruciato, una bella pira in giardino la notte stessa del premio dopo che tutti gli invitati e il catering se n'erano finalmente andati. Preferisco conservare il mistero, ha ragione Fanny. Meglio la rimozione, meglio l'ignoranza, meglio queste che una storia forse vera forse falsa, forse inventata a bella posta dalla Giraffa per impietosirmi, convincendomi a staccarle il famoso assegno. Ma di questo non ce n'è bisogno, ho perdonato anche lei. Ha settant'anni, è sola, senza una rendita, senza una pensione, le pagherò io le spese dell'appartamento di Brig, anzi le passerò anche un piccolo mensile, l'unica condizione è che non si faccia più vedere.

Ho perdonato Fanny, ho perdonato la Giraffa, ho perdonato anche Lugano, non comprerò l'attività di catering per il mero gusto di licenziarlo. Ho perdonato mio marito, lo considero sempre un pallone gonfiato degno di sistematico spernacchiamento, ma steso sulla barella dell'ambulanza, la sera del premio, mi ha fatto persino tenerezza. Ho perdonato la sfacciataggine e il free jazz a tutto volume di Marco Marena, ci siamo scritti, visto che ci tiene così tanto ripubblicherà *Il pane e la morte* per La Buon Corsiero, poi gli altri libri vedremo. Finirà che perdonerò in contumacia anche il mio escrementizio genitore, finirà che perdonerò pure El Panteròn.

Ma mia figlia perdonerà me?

Mi risiedo al tavolo, sul computer è partito il salvaschermo, sfioro il touchpad per far riapparire il foglio di Word fitto di righe nere. Scrivo a interlinea uno come non ho mai fatto, così mi sembra di mettere più energia, più massa, più forza in queste pagine dense di parole. Sì, diciamo che Monica mi ha perdonato. O quantomeno le ho mandato una lettera all'indirizzo del suo editore, Marco Marena deve avergliela consegnata, d'altronde dentro c'era anche un assegno da cinquecentomila euro pari al premio non vinto, mi pare il minimo, anzi se solo lei lo accettasse a mia figlia non avrei alcuna difficoltà a passare anche un milione ogni mese. Monica comunque la lettera questa volta l'ha letta.

Io le avevo scritto che in un paio di fogli non potevo far

entrare tutto quello che c'era da dire, le avevo scritto che avrei voluto vederla, passare del tempo insieme, spiegarle. Monica ha incassato l'assegno e meno male, non avrei sopportato che fosse stata così fessa da far prevalere l'orgoglio oppure il rancore davanti a una cifra simile. Io credo che mi abbia perdonato perché mi ha anche risposto. Mia figlia mi ha mandato un'email, mi ha ringraziato, i soldi le servono per pagarsi una casa dove andrà ad abitare con il suo fidanzato-editore. Per il momento, però, non ce la fa ancora a incontrarmi.

"Troppe cose da metabolizzare," ha scritto. "Troppo passato da risistemare, troppe convinzioni sbagliate da rivedere."

Poi ha aggiunto anche questo:

"Se scrivo però lo devo a te, non certo a quei romanzi tombali di papà. Sappilo: *Il pane e la morte* l'ho letto quando facevo il primo anno al Contarini e ho sempre pensato che fosse un capolavoro. Poi ho letto tutti i tuoi libri, proprio tutti, anche quelli usciti dopo un certo venticinque aprile. Se scrivo, è perché vorrei essere brava a scrivere quanto te. Adesso, allora, perché invece di raccontarmela a voce, tutta questa storia non la scrivi per me? Scrivila come se fosse un romanzo, cambia i nomi, cambia i luoghi, tanto lo sappiamo tutti che gli scrittori fanno sempre così. Io e te però sapremo quali sono quelli veri. Leggerla come se fosse un romanzo sarà meno doloroso. Poi, te lo prometto, ci vedremo".

Chiudo gli occhi. Sono nuda, sulla pelle sento la brezza lieve che soffia dal mare. In piscina Elena non nuota più, non passano motoscafi, non passano auto, il traffico è vietato in questa zona del promontorio, c'è un tale silenzio che riesco a sentire i colpi dei tennisti nudi dall'altra parte della baia. L'aria profuma di salsedine, agrumi, resina. Questo è il paradiso, penso per un istante, potrei rimanere così, immobile, per sempre. Poi invece riapro gli occhi, sfioro la tastiera, sorrido, mi metto al lavoro.

Nota

Nel capitolo 1 si fa menzione del ristorante Cracco, a due passi dal quartiere Cinque Vie: facevo riferimento alla vecchia, storica sede, in via Victor Hugo (ora il ristorante si è trasferito in Galleria Vittorio Emanuele, i passi sono diventati quattro). Ancora nel capitolo 1 si parla di un premio Greppo D'Oro-Terra di Lucania, che non esiste ma è un omaggio neanche tanto nascosto al premio Dirupo d'Oro che compare nello splendido racconto *L'ombra del falco obeso* del caro amico Gaetano Cappelli. Sempre nel primo capitolo si citano i "libretti Fernandel" di Voltolini e Mazzucato: si tratta de *Il grande fiume. Impressioni sul delta del Po* di Dario Voltolini (1998) e di *Villa Baruzziana* di Francesca Mazzucato (1997) usciti per gli amici di Fernandel editore con formato in-sedicesimo. Negli anni novanta Fernandel, la casa editrice di Giorgio Pozzi, in Ravenna, pubblicava una rivista omonima e una collana di narrativa italiana, dedicata soprattutto a esordienti, spesso poi passati agli editori "major". Fernandel continua con successo nei giorni nostri la sua attività editoriale e di scouting di qualità.

Nel capitolo 2 compare Matteo Galiazzo in persona e vince il premio Brivio prima edizione con il suo romanzo *Cargo*. Matteo è un amico che ha pubblicato un racconto nella celebre antologia *Gioventù cannibale* (Einaudi) nel 1996, ha esordito con un volume proprio (la raccolta di racconti *Una particolare forma di anestesia chiamata morte*, Einaudi) nel 1997, e ha pubblicato il suo ultimo libro, un romanzo, *Il mondo è po-*

steggiato in discesa (Einaudi) nel 2002. Dopodiché, nonostante un rimarchevole successo di critica, ha smesso di scrivere narrativa per dedicarsi solamente alla scrittura di software. *Cargo* (Einaudi) è il suo primo, bellissimo romanzo, pubblicato nel 1999, pieno di intelligenza e anticonformismo: ho controllato con Matteo e non ricorda che *Cargo* sia mai stato premiato o sia arrivato tra i finalisti di un premio. Un perfetto vincitore, dunque, per il Brivio. Matteo ha letto in anteprima le righe che lo riguardano e lo ringrazio di aver accettato di partecipare, come personaggio, al mio romanzo. Grazie anche per aver vinto le perplessità sulla sciarpa del Genoa. Per chi volesse saperne di più su Matteo Galiazzo, a parte il consiglio di leggere i suoi libri c'è un'intervista curata da Francesco Forlani comparsa sul sito "Nazione Indiana" il 15 giugno del 2012, che racconta bene sia la sua storia che la sua persona.

Galiazzo a parte, nel mio romanzo compaiono nomi di scrittrici e scrittori italiani e stranieri che esistono davvero, in alcuni casi con i titoli delle loro (reali) opere: consideratelo un mio hommage personale ad alcuni tra i tanti libri e autori che amo. Esistono davvero anche luoghi come il Chiosco Mentana, la Galleria Ferrero a Nizza, l'hotel Manin e l'hotel Carrobbio a Milano, il Camin Hotel a Luino, il Marriott di Copenaghen, il Grand Hotel Wien a Vienna: sono stati usati per dare verosimiglianza al racconto ma i loro impiegati, proprietari, camerieri, sommelier, concierge e massaggiatori sono personaggi di pura invenzione. Per il resto attività commerciali, ristoranti, scrittori, case editrici, libri con nomi e titoli di fantasia sono appunto tali, senza alcuna corrispondenza con la realtà.

Nel capitolo 12 per esigenze narrative si racconta che il Sildenafil e il Tadalafil, principi attivi rispettivamente di Viagra e Cialis, sono stati pensati, preparati e brevettati dal padre di Sara Brivio in un'oscura, piccola azienda farmaceutica milanese, per poi vendere il brevetto alla Pfizer. Si tratta, benché ovvio, di pura invenzione. Il Sildenafil/Viagra è stato elaborato e brevettato internamente dall'azienda americana Pfizer mentre il Tadalafil/Cialis è stato elaborato e brevettato dall'azienda biotecnologica americana Icos.

Indice